FABULA
371

Fabio Bacà

Nova

ADELPHI EDIZIONI

© 2021 ADELPHI EDIZIONI S.P.A. MILANO
WWW.ADELPHI.IT

ISBN 978-88-459-3587-9

Anno				Edizione							
2024	2023	2022	2021	1	2	3	4	5	6	7	8

INDICE

NOVA

*a Daniele Rossi
e Provino Vagnoni*

PROLOGO

«... prendi Kabobo. Te lo ricordi Kabobo? È successo a Milano, tre o quattro anni fa. Esatto. Il pazzo con il piccone. Il ghanese che uccise tre poveracci incontrati per caso a Niguarda. Sì. Proprio lui. Il clandestino che disse di aver sentito delle voci nella testa e se ne andò in giro a spaccare quelle altrui, e che alla fine si beccò una condanna relativamente mite grazie alle contestatissime attenuanti invocate da uno psichiatra del tribunale. Anche se a me sembra più significativo quello che era accaduto qualche ora prima. Te lo ricordi? Non credo. Ormai l'hanno dimenticato quasi tutti. Un dettaglio indubbiamente subordinato all'enormità del fatto in sé, come no, ma in un certo senso altrettanto emblematico della vicenda di un trentunenne irregolare che trova un piccone in un cantiere incustodito e lo usa per silenziare i mortiferi suggerimenti di una voce nella sua mente. Alle tre di quel mattino, Kabobo aggredisce a mani nude due persone: nei pressi di piazza Belloveso una ragazza gli sfugge solo perché abita a due passi ed è velocissima ad aprire il portone di casa; mezz'ora dopo, un poveraccio non altrettanto fortunato si becca un cazzotto in faccia. Ora, la cosa strana è che alle autorità non arrivano segnalazioni in proposito. Non è sorprendente? Una coppia di tranquilli cittadini sfugge alle lusinghe potenzialmente fatali di un evidente squilibrato, ma nessuno dei due spende mezzo minuto per una telefonata alla polizia. Tra le cinque e le sei Kabobo si procura una spranga e ferisce seriamente due passanti. Ne insegue un terzo che porta a spasso il cane, ma quello si mette a correre, e il nostro rinuncia a inseguirlo dopo pochi passi. E indovina un po'? Anche qui nessuno si sogna di denunciare l'accaduto alle autorità. Uno dei due sprangati si fa addirittura medicare il braccio al pronto soccorso, ma ai medici fornisce spiegazioni vaghe: né ho idea del perché questi ultimi abbiano trascurato di avvertire le autorità come avrebbero imposto sia la legge che il codice deontologico. A quel punto Kabobo ha già rinvenuto lo strumento che darà un contributo esponenziale all'efferatezza delle imprese successive. Ebbene, non so se riesci a immaginare il polverone alzato dalla stampa entro le ventiquattro ore successive. Cinque aggrediti, zero segnalazioni: cinque potenziali strangolati o sprangati a morte, ma non una sola chiamata giunta ai centralini di carabinieri o polizia. A seguire, il solito plotone di sociologi, psicoanalisti, filosofi e sobillatori di professione che somministra al pubblico interpretazioni autorevoli: l'egoismo epidemico, l'autismo emozionale, il crollo di valori come civismo, empatia e solidarietà. Tutte opinioni sensate, certo. Ma io ti dico che c'è di più. Qualcosa che non ha molto a che fare con la logica elementare o l'erosione del senso di umana pietà. Io credo che la maggior parte delle persone non sia preparata a un evento psichicamente traumatico come un'aggressione brutale. Considerata la società in cui viviamo, è assolutamente probabile che un occidentale tipico si predisponga all'eventualità di subire un qualche tipo di violenza: ma ti assicuro che tra la presa d'atto di un fatto spiacevole e la sua metabolizzazione emotiva c'è un abisso. Sono pronto a scommettere che nessuna delle persone scampate alla furia di

Kabobo avesse avuto esperienza dell'aggressività tanto da identificarla e gestirla a un livello razionale più profondo. No, non sto dicendo che la sensibilità del cittadino medio sia diventata impermeabile alle conseguenze interiori di una tentata picconata; detta così, sembrerebbe che il problema sia l'indifferenza. No. Io sostengo una cosa ben diversa, ossia che per quasi tutti noi la violenza è un fatto e-motivamente alieno. Non è che il cittadino medio sia diventato immune ai contraccolpi psichici di un agguato: è che non riesce a stabilire un collegamento produttivo tra l'impatto razionale e le inferenze emotive che tale impatto innesca. La parola fondamentale, qui, è "produttivo". Il problema è che abbiamo perso contatto con qualcosa di essenziale dentro di noi. Pensaci un attimo. Com'è possibile che una ragazza scampata a un pazzoide sotto casa non sia in grado di intuire che l'assalitore potrebbe scegliere la prossima vittima tra le persone che conosce in quella stessa via? Come può non barattare il fastidio di una telefonata al 112 con il sollievo di aver rimosso un pericolo mortale dal quartiere in cui vive? Che poi è lo stesso in cui vivono i genitori, magari – o i suoi amici, o il ragazzo che le piace? Come fa a ignorare che la mattina dopo potrebbe aprire la finestra e spalancare gli occhi davanti a un mucchio di segatura sul marciapiede con i residui mezzo assorbiti di sangue e fluidi cerebrali di un innocente?

«Come credi che reagirebbe, se accadesse?

«E tu?

«Fatti questa domanda, dottore.

«Come reagiresti, tu?».

PARTE PRIMA

1

A cosa pensa un uomo appena si sveglia? Cosa gli recapita la connivenza d'inconscio e realtà? Qual è l'oggetto delle sue prime, confuse meditazioni mentre tenta di recuperare la potestà sul vero? Quali le immagini, i suoni, i bisbigli, i tumulti nella sua testa?

Probabilmente riflette su di sé, o sulla donna che gli dorme accanto.

Forse pensa ai figli. Oppure ai genitori, all'amante, alla colazione, a un amico in difficoltà, alle scadenze fiscali, alla cena di gruppo del sabato successivo, al mal di schiena, alla politica, ai contrattempi professionali, alla macchina nuova in leasing che gli ha proposto il suo concessionario, a Dio, ai gol della sera prima, alla casa in campagna, alle vecchie ambizioni arenatesi chissà dove, alle caviglie di una collega, ai film di Christopher Nolan, alla mozione di coito avanzata dalla fugace libidine dell'erezione mattutina.

Davide no.

Davide pensa alla morte.

Succede poco dopo le sei. Apre gli occhi, recupera il minimo di nitore intellettivo necessario ad affrontare la prospettiva del nulla eterno, e si mette a fissare il soffitto.

No, non è pazzo.

Non è gravemente malato.

E non è nemmeno depresso.

Sì, certo. Ha qualche difficoltà con il suo diretto superiore, il dottor Martinelli, principe della medicina toscana, virtuoso della neurochirurgia, che da un po' di tempo sembra averlo preso di mira.

E sì, ha più di un problema con il suo vicino, Massimo Lenci, proprietario del locale notturno che per più di un anno ha turbato la pace del tranquillo quartiere in cui vive, alla periferia meridionale di Lucca, prima che una salvifica ingiunzione comunale intervenisse a ristabilire la quiete.

Nulla d'irrimediabile, certo. Nulla che di per sé lo inserisca nella schiera dei perennemente afflitti, dei tanatofili o degli aspiranti suicidi.

Eppure, Davide pensa alla morte.

Considera il tutto una specie di rituale, un antidoto ai periodi complicati che assume periodicamente da più di quindici anni. Apre gli occhi, fissa il soffitto di legno e riflette sulle implicazioni della fine della vita.

Non necessariamente della sua, in realtà. E spesso non pensa nemmeno più alla morte intesa come termine delle esperienze terrene di un vivente. Sdraiato accanto a sua moglie, apre gli occhi, prende coscienza di sé, del crepitio soffuso delle travi al calore del sole, del respiro vagamente adenoideo che giunge dal lato opposto del letto: quindi comincia a meditare sulla cessazione delle funzioni primarie e accessorie di organismi viventi, sociali, meccanici o virtuali di qualunque tipo.

Ha cominciato poco dopo la nascita di Tommaso. Negli anni seguenti, avrebbe concluso che riflettere sulla morte era il logico contrappeso all'eclatante sovrappiù di vita che la cura di un piccolo e frignante essere umano dalle inconcepibili esigenze aveva imposto alla tranquillità quotidiana di una giovane coppia di professionisti. Un cane, due gatti e un bambino: ce n'era abbastanza da giustificare un primo risveglio dedicato alla rassicurante prospettiva del riposo eterno.

Il cane, per inciso, era un Jack Russell di nome Fred Flintstone. I gatti, Epaminonda e Kociss, due fratellini tigrati e ombrosi, poco inclini a condividere l'entusiastica ipercinesia di Fred: lo osservavano con aria circospetta da angoli sopraelevati del soggiorno, e ogni tanto lo circondavano, in cucina o in corridoio, imponendogli i piccoli, umilianti tributi che il sadismo connaturato alla specie pretende.

Ma se gli animali erano una panacea intermittente o disattivabile all'eccesso di requie domestica – c'era sempre un giardino in cui confinarli quando scaramucce, guaiti, miagolii o incursioni sul divano eccedevano il limite – un neonato era onnipresente. Infondeva alla casa un senso di attesa messianica: dei suoi risvegli, del suo umore, della sua fame, della sua digestione, della quantità o qualità delle sue deiezioni, dei suoi segnali di soddisfazione o malessere. Confinato nello studio al piano superiore della villetta, Davide cercava di tirare le fila di un semestre di perfezionamento al Guy's Hospital di Londra. Era tornato in tempo per assistere al parto, ma sospettava che la sequela di notti insonni accluse alle gioie della paternità avrebbe compromesso la possibilità di trarre un minimo profitto dalla sua esperienza londinese.

Di notte dormiva pochissimo: di giorno posava la fronte sui libri, sonnecchiava sulle poltroncine in facoltà o vagava tra i corridoi, in una polla di perenne ottundimento. A fine estate sarebbe entrato nel reparto di neurochirurgia dell'ospedale Campo di Marte, ma a quel punto dubitava di uscire vivo dalle sue prime dieci settimane da genitore.

Gli unici minuti di pace coincidevano proprio con il primo risveglio. Ne approfittava per cominciare a riflettere sugli insospettabili vantaggi della mortalità. Le allettanti lusinghe dell'estinzione, termine misericordioso di ogni affanno. La grevità incantata dell'espressione « sonno e-terno » (il meraviglioso evocato del sostantivo, soprattutto). L'apologia della fuga, della rinuncia, dell'abbandono. Non era credente, ma ogni tanto si era ritrovato persino a fantasticare sulla serena ascensione post mortem al flusso di anime che sovrintende, con qualche giustificata perplessità, all'evoluzione del mondo.

Il sollievo di quei minuti di riflessioni fu tale da persuaderlo a continuare anche dopo il ripristino di condizioni di vita accettabili. Scoprì di non detestare poi così tanto il bambino, che almeno gli aveva permesso di accedere a una visione consolante dell'apparente dualismo vita/morte.

Dalle riflessioni sulla sua fine passò a quella dei congiunti più prossimi – infante compreso. Poi dei parenti lontani. Poi degli amici. Poi dei suoi animali. Poi dei colleghi. Poi dei pazienti che visitava in ospedale e degli sconosciuti che incontrava per caso. Infine si dedicò ai divi del cinema, alle stelle della musica e dello sport.

Nulla di particolarmente cruento: di solito immaginava lente e serene uscite di scena nell'abbraccio consolante dei propri cari.

In seguito si dedicò alla fine delle istituzioni politiche (l'estenuante dissolvimento dell'Impero romano d'Occidente, la brusca ablazione dalla storia dei Romanov o dei Borbone-Orléans), a quella delle macchine, delle mode, dei cliché lessicali.

Non seguiva una strategia, o una programmazione. Si svegliava e lavorava sulla prima cosa che gli saltava in mente. Dopo un po' si era addirittura convinto di proiettare una specie di benevolo influsso apotropaico sul morente di turno.

Il gioco era proseguito per poco più di sei mesi, dopodiché i suoi pensieri mattutini erano stati requisiti da considerazioni più urgenti. Ma negli anni successivi, in mezzo a qualche inevitabile tempesta, avrebbe di nuovo tratto conforto da quello strano vezzo, dai pochi minuti tra le lenzuola passati a fissare il soffitto meditando sulla pace eterna.

La fine di ogni problema.

Barbara dormiva su un fianco, dandogli le spalle. Al solito la gamba sinistra si era sovrapposta alla sua, ancorandogli la caviglia al materasso come per impedirgli di levitare durante la notte.

Epaminonda sonnecchiava sul comò. A ulteriore conferma delle virtù propiziatorie delle sue riflessioni, gli animali di casa avevano trionfalmente superato i sedici anni di età.

Quella mattina Davide avrebbe rimosso un glioma dal cervello di una ragazza, quindi spese doverosamente qualche minuto a riflettere sulla morte delle cellule di Schwann.

A un tratto qualcosa attirò la sua attenzione. Un grosso insetto nero, una specie di scarabeo goffo e lucido, era sbucato da sotto l'armadio. Lo fissò, senza troppa sorpresa: la portafinestra della camera, che si apriva sul giardino, era una fonte inesauribile d'incursioni animali.

Spostò lo sguardo su Epaminonda. Il gatto aveva già aperto gli occhi, allertato dall'udito, dall'olfatto, dall'istinto felino.

Sollevò la testolina e fissò l'intruso che zampettava con commovente determinazione sul parquet. L'uomo si preparò a un'appendice imprevista delle sue riflessioni: dalla fine dignitosa di una cellula alla morte cruenta di un grosso insetto.

Ma Epaminonda si era predisposto di nuovo al sonno. Entro dieci minuti il suo padrone si sarebbe alzato per riempirgli la scodella: perché darsi da fare per qualcosa di visibilmente meno appetitoso?

Per almeno un decennio, Epaminonda era stato il più feroce e temerario tra i gatti del quartiere. Occhi color topazio, andatura sinistra, riflessi portentosi. Si arrampicava sulle tende, si dondolava dai lampadari, prendeva il sole in equilibrio precario sui bovindi di casa, saltava tra i tetti per accurate ricognizioni aeree del suo territorio, ingaggiava zuffe epocali con i gatti del vicino per vane questioni di supremazia sessuale – i contendenti erano tutti sterilizzati. Nella bella stagione integrava la dieta con supplementi entomologici di equanime varietà: grilli, api, farfalle, mosche, scarabei, cicale. Era uno sterminatore seriale, un genocida a quattro zampe, uno strumento di controllo demografico dell'ecosistema faunistico di mezzo quartiere.

E ora, invece? Ora si preparava a trascorrere l'ultima parte della sua esistenza all'ombra del più pigro e rilassato *laissez-vivre*: aveva raggiunto la giudiziosa oculatezza della senilità, l'assenza di spreco che misura le dimensioni della più ponderata saggezza.

Beato lui, pensava Davide.

Più tardi Barbara lo raggiunse in cucina, a piedi nudi.

«Non toccava a me fare il caffè?» gli domandò.

«Ero già sveglio da un po'».

Lei si mise a esaminare qualcosa sul soffitto, grattandosi un seno, poi andò a sedersi sullo sgabello della penisola. Qui mise in opera un consumato gioco di caviglie e talloni per tenere a bada Epaminonda, che tentava di strusciarsi ai suoi polpacci.

«Tommaso è già sveglio?» domandò.

«Credo di sì. È da un po' che sento armeggiare».

«Prima che me ne dimentichi, tesoro. Ieri mattina è arrivata la lettera di un avvocato».

«Avvocato di chi?».

«Indovina».

Davide posò la caffettiera sul piano a induzione.

Lei si passò le mani ai lati della testa, raccolse i capelli in una coda e la legò con un elastico rosso che le era spuntato tra le dita. Fred Flintstone, acquattato sul tappeto della cucina, la guardava attentamente. In una percentuale non trascurabile di casi, la sua padrona si sistemava i capelli quando doveva occuparsi di lui in modi meno ordinari di cibo o coccole. Tipo fargli il bagno, o portarlo dal veterinario.

«Perché fai quella faccia?» chiese Barbara. «Ha detto che avremmo avuto altre notizie dai suoi legali ed è stato di parola. Apprezziamone la coerenza, almeno, considerato che non c'è molto altro da apprezzare».

«E che dice quest'avvocato?».

«Niente di preoccupante. In pratica, diffida il nostro dal continuare a diffidare il suo assistito».

Davide si avvicinò al frigo, lo aprì e ne studiò il contenuto. Prese un cartone di latte d'avena e un barattolo di marmellata. Posò il secondo sulla penisola. Riempì di latte una scodella di ceramica, e prima di deporla accanto alla marmellata la annusò. Poi si girò, aprì lo sportello sinistro della credenza e ne estrasse una confezione di fette biscottate.

«Ho già mandato tutto a Paolo» disse Barbara.

«Hai fatto bene».

In quel momento dalle scale apparve Tommaso, seguito silenziosamente da Kociss. Non lo perdeva mai di vista, sollecito e discreto come l'attendente di un generalissimo sudamericano.

«Ehilà» disse Tommaso.

«Ciao tesoro» gli rispose Barbara.

«Ti ho versato un po' di latte d'avena» disse Davide.

Tommaso aprì la tasca superiore dello zaino, trovò il cellulare, sfiorò lo schermo e si mise ad analizzare le conseguenze del suo diteggiare sfoggiando il repertorio di microespressioni insoddisfatte che esibiva da un po'. Quindi si avvicinò alla penisola, si sedette e posò il telefono accanto alla scodella, infilando le dita nella confezione aperta di fette biscottate.

«Non ti lavi le mani?» disse Barbara.

«Ho appena fatto di sopra» rispose Tommaso. Poi allungò un braccio, prese il barattolo di marmellata, ne controllò l'etichetta e lo rimise dov'era.

«Dove vai oggi?» gli chiese Davide.

«A casa di Marco» rispose lui, inzuppando una fetta biscottata nel latte. «Con l'autobus» puntualizzò, prevenendo l'arrivo di una probabile istanza paterna di chiarimento.

«Chi c'è con te?» disse Barbara.

«Matteo. Anna. Claudio. Forse il Penna. Francesca. Giorgio. Forse Lenny».

Barbara scoccò un'occhiata a suo marito. Lenny? chiese, senza emettere suoni. Lui scrollò le spalle, come a dire che aveva rinunciato da un pezzo a investigare le bizzarrie onomastiche della cerchia di Tommaso.

«Posso accompagnarti io» disse. «La villa dei Callipo non è lontana dall'ospedale».

«Se vuoi».

«Prendo il caffè, mi vesto e sono pronto».

«Non ho fretta».

«Io sì».

Kociss attendeva ai suoi piedi, seduto sulle zampe posteriori, con aria docile e lievemente immusonita. Aveva un carattere talmente speculare a quello di Epaminonda da rendere la loro consanguineità quasi implausibile. A un tratto spiccò un salto fulmineo, atterrò con un piccolo tonfo sulle cosce del suo padroncino e gli si acquattò sui jeans.

La caffettiera cominciò a gorgogliare.

«Tu che fai a pranzo?» domandò Davide a Barbara.

«Non lo so. Perché?».

«Mi piacerebbe provare quel ristorantino in viale Puccini di cui parlano tutti benissimo. Mi raggiungi lì? Qualcosa che ti piace lo troviamo».

«Perché no?».

Poi si rivolse a Tommaso.

«Vieni anche tu, tesoro?».

«Non lo so» disse lui. «A che ora sarebbe?».

«Dipende da tua madre. Per me dopo l'una va bene».

«Nel pomeriggio devo passare dai miei» disse Barbara. «Ma ho detto a mamma per le tre e mezza. Tempo sufficiente per un pranzo di nozze».

«E pranzo di nozze sia».

Mezz'ora dopo, Davide e Tommaso salirono a bordo della BMW. Il cancello elettrico scivolò sulla rotaia con un sussurro un po' meno leggiadro del solito. Davide diede un'occhiata alla facciata della villetta: Barbara aveva pronosticato che entro fine anno avrebbero dovuto sottoporla a una blanda manutenzione, ma il cigolio del cancello sembrava vaticinare l'imminenza di un intervento conservativo più generalizzato e costoso. A quanto ne sapeva Davide, la casa, di due piani, era stata la prima in tutta Lucca realizzata completamente in legno. Meno di una settimana dopo aver scoperto di essere incinta, infatti, Barbara aveva trascinato suo marito da una società di edilizia alternativa. Avevano consultato cataloghi di case prefabbricate: lussuose, ecosostenibili, dotate di ogni confort, ma senza il fardello dei sensi di colpa da eccesso di capricci esauditi a spese del pianeta. Sulle pubblicazioni in patinata lucida si stagliava imperioso l'acronimo NZEB, *Nearly Zero Emission Building*. Loquace e fidente, Barbara memorizzava ogni dettaglio. Davide sbatteva le palpebre, a braccia conserte, nella diffidenza dell'uomo di scienza davanti al sovvertimento di precetti inveterati. L'idea di andare a vivere in una casa di legno, come il sopravvissuto a una calamità naturale, lo atterriva.

Appena sposati si erano sistemati a casa dei suoi, al piano superiore di una cupa dimora sulle colline a nordest della città. Poi avevano concepito Tommaso, e Barbara aveva preteso, con volitiva dolcezza, di affrancarsi dalla tutela dei suoceri e stabilirsi in un appartamentino in centro. Non era solo la tetraggine dell'architettura a turbarla: da qualche tempo l'armonia familiare era scossa dallo scontro ideologico in atto tra Davide e suo padre – anch'egli neurochirurgo – il cui pretesto edipico era stata l'epocale diatriba tra localizzazionisti e plasticisti.

Barbara aveva appena cominciato a occuparsi di logopedia, materia il cui interesse per la comprensione approfondita dei meccanismi cerebrali era poco meno che accessorio: non c'era bisogno di una teoria unificata della neurologia per insegnare a un bambino come eliminare un difetto di pronuncia. Ma aveva letto Sacks, e qualcosa di Kandel, e voleva capire se la voragine dottrinale tra marito e suocero fosse davvero incolmabile.

Una sera Davide guardava distrattamente la TV. Lei si avvicinò e gli chiese di chiarirle il problema.

«Be', i primi studiosi credevano che ogni funzione fosse localizzata in una determinata zona del cervello, fissa e immutabile» le spiegò lui, stirandosi. «Finché si è scoperto che ognuna di quelle zone, se necessario, può surrogare il lavoro delle aree vicine: il cervello è quindi plastico, mutevole, adattativo. Peccato che mio padre faccia ancora spallucce quando sente certi discorsi».

«E ti sembra un buon motivo per tenergli il muso?».

«È lui che lo tiene a me».

Poco dopo avevano affittato un appartamento al secondo dei tre piani di un edificio in via Sant'Andrea. Al piano superiore c'era una famiglia con quattro figli, a quello inferiore due adorabili anziani: tutti impegnati a saturare di rumore porzioni di giornata così rigorosamente ripartite da sembrare assegnate nel corso di apposite riunioni di condominio. La mattina era il turno dei programmi più desolanti del panorama televisivo nazionale, di cui i vecchietti erano appassionati esegeti. Il pomeriggio era invaso dalle grida dei bimbi al piano superiore, appassionatamente coadiuvati dal saltellante cucciolo di famiglia: un grosso cocker spaniel color miele, tonto e sovreccitato, che in deroga alle ripartizioni condominiali latrava o uggiolava a qualunque ora del giorno.

Davide e Barbara avevano resistito fino all'autunno del secondo anno. In estate, Barbara aveva ereditato dai nonni un piccolo terreno in via Tofanelli, a sud delle mura. Ed era stata lei, dopo alcuni sopralluoghi, a proporre a Davide di costruirci una casa in legno.

In *legno*, sì: aveva capito bene. Ma con soluzioni tecniche innovative e un impatto energetico irrisorio.

Un amico architetto, affiliato a una misteriosa congrega di utopisti della bioedilizia, aveva già abbozzato un progetto: due piani, il porticato inferiore foderato di glicine, una Jacuzzi per quattro sul lastrico solare. E gli abitanti delle case intorno? Tenuti a distanza da un giardino di salici e ulivi, pietre nere e trifogli, al punto da destituire quasi completamente di senso il termine «vicini di casa».

Altro che cocker, bimbi irrequieti e telequiz.

Alla fine Davide aveva detto di sì, anche se a malincuore. A che serviva diventare un professionista da centomila euro l'anno se doveva vivere in una specie di palafitta come un indigeno degli arcipelaghi polinesiani?

Tommaso estrasse una dispensa ciclostilata dallo zaino che teneva tra i piedi.

«Cos'è?» chiese Davide.

«Appunti» rispose lui. «Per una ricerca che abbiamo consegnato sabato».

«Credevo che la scuola fosse finita».

«Finisce dopodomani».

«In tempo per il grande evento. Sei carico?».

«Non lo so. Dovrei?».

Erano fermi a un semaforo e Davide gli lanciò un'occhiata. Suo figlio era impegnato a grattare via qualcosa dalla pelle color champagne della porzione di sedile sotto la sua coscia: un ragazzo timido, fenomenale a scuola, appassionato di astronomia, che stava lentamente emergendo da un periodo complicato dopo un trascurabile episodio di pseudosovversione giovanile – una delle tante, esili ordalie che cadenzano lo sviluppo di un adolescente occidentale.

«Alla tua età» gli disse «non ci avrei dormito la notte. Gli Aerosmith. Ti rendi conto?».

«Dormo già abbastanza male, grazie».

«"Rolling Stone" li ha inseriti al cinquantanovesimo posto dei cento migliori artisti di sempre».

«Solo al cinquantanovesimo?».

«D'accordo. Ma Steven Tyler è stato votato icona musicale di tutti i tempi. *Di tutti i tempi*. Più di Elvis. Di Freddie Mercury. Di Bono Vox. Di John Lennon».

«Chi è Elvis?».

Davide lo fissò, vagamente perplesso. Tommaso era in quella fase della vita in cui sembra evidente che l'unico modo di contenere l'incremento di pretese di cui gli adulti diventano famelici latori, appena ratificano che la tua infanzia è terminata, è opporre disinteresse a ogni questione apertamente secondaria. Fase che a Davide non era capitato di sperimentare: per tutta la giovinezza non aveva fatto altro che accogliere con gratitudine ogni stimolo possibile. Ancora ricordava lo sgomento nell'apprendere, giovane matricola, una di quelle informazioni inverificabili che per qualche giorno sono fonte di una meravigliata repulsione tra gli studenti del primo anno: il mondo che percepiamo *è un'illusione*, aveva detto il professore di embriologia. I fiori, gli alberi, il cielo, le nuvole, gli oceani, le case, le auto, i libri, gli animali, il viso dei genitori o della donna amata *non sono veri*: o almeno, non nella forma che riteniamo essere tale. Il mondo è un'architettura cinerea e silenziosa di molecole prive di colore, odore, sapore e temperatura, da cui ogni cervello umano plasma la sua realtà attraverso potenziali elettrici deputati a creare sensazioni completamente diverse dalla livida e concreta sostanza dei fatti.

La BMW si era inerpicata lungo una breve salita. A metà di un lungo muro di mattoni videro una cancellata.

«Ci vediamo al ristorante» disse Davide mentre Tommaso apriva la portiera. «Viale Puccini, civico 1524».

«Civico 1524 è il nome?».

«No. È il civico».

«E il nome?».

«Non me lo ricordo».

Tommaso si issò lo zaino sulla spalla sinistra. Davide lo osservò procedere verso il cancello, lievemente ingobbito, come ancora intorpidito dalle recenti mutazioni del suo corpo. Un piccolo intoppo nei suoi sincronismi ormonali aveva ritardato di un anno l'avvio della maturità sessuale, con il suo imbarazzante corredo di baffetti, dolori articolari, ptosi del timbro vocale, fitte ai testicoli e acute esalazioni androgene da ogni confluenza di arti. Dalla fine di quell'esperienza Tommaso intratteneva una relazione estremamente cauta e formale con se stesso, come temesse altre spiacevoli sorprese.

Cinque minuti dopo Davide arrivò nel parcheggio riservato dell'ospedale.

L'auto di Martinelli non c'era.

Meglio così, si disse. Spense il motore e alzò gli occhi sulla facciata.

All'apice della scalinata una porta circolare orbitava pigra su se stessa: da quando lavorava a Campo di Marte, Davide non aveva mai visto interrompersi la sua torpida rivoluzione.

Prese la borsa e uscì dall'auto.

A partire da una determinata disposizione d'animo, pensò, qualunque simbolismo risuona come un lugubre rintocco nelle segrete del nostro spirito.

2

Il telefono squillò mentre cercava di sfilarsi la t-shirt nello spogliatoio del reparto. Tentando di divincolarsi s'incagliò con il braccio nel foro della testa, fino a quando riuscì ad allungare la mano libera verso la borsa sul fondo dell'armadietto. Rispose senza nemmeno guardare chi era.

«Pronto?» disse.

«Ciao Davide, sono Paolo. Disturbo?».

«No, no. Ti avrei chiamato io prima di pranzo».

«Perché ansimi? Sei piacevolmente occupato?».

«Macché. Sto cercando di sfilarmi la maglietta. Sta diventando una procedura complicata: ormai è assodato che ho messo su qualche chilo».

«Dove sei?».

«In ospedale. Appena arrivato».

«Tua moglie mi ha inviato una foto della lettera».

«Che ne pensi?».

«Niente di che. Schermaglie di un modesto professionista con poche carte in mano».

«Sicuro?».

«Vedo il suo bluff: una coppia, al massimo due. Quelli con il full d'assi siamo noi».

«Quindi?».

«Quindi nulla. Sediamoci sulla riva del fiume e aspettiamo che il tuo vicino di casa ci galleggi davanti, possibilmente a faccia in giù. Entro qualche settimana sarai tu stesso a fargli l'autopsia».

«Mai fatta un'autopsia in vita mia».

«Perché sei uno snob. Come si chiamava quel medico dell'Ottocento che durante un'amputazione ammazzò il paziente, un assistente e uno spettatore?».

«Uhm... Robert Liston?».

«Ho letto che era considerato il miglior chirurgo al mondo. Quando potranno dire lo stesso di te?».

«La vedo complicata. Passi per pazienti e spettatori, ma siamo in carenza cronica di personale e non posso permettermi di uccidere nemmeno il più imbranato degli OSS».

Chiuse la comunicazione e rimise il cellulare in borsa. Si liberò della maglietta e finì rapidamente di vestirsi. Uscendo dallo spogliatoio notò che il lembo sinistro del camice era leggermente sollevato: nella fretta se l'era abbottonato in modo asimmetrico. L'ascensore si aprì con un sibilo pressurizzato ed espulse due giovani infermiere: Davide le salutò mentre rallentava l'andatura, le mani tra cosce e pube come un comunicando in fila per l'ostia, ricevendone in cambio un buongiorno quasi impercettibile, perfettamente conforme all'atmosfera claustrale del reparto. Aprì la porta dello studio e si avvicinò a una scrivania. Staccò il cellulare di servizio dal caricabatteria e se l'infilò nella tasca del camice.

Qualcuno bussò mentre era chino sul tasto d'accensione del computer.

«Buongiorno capo» disse un giovane medico sporgendosi appena dall'uscio.

Davide riacquistò la posizione eretta.

«Ciao Lucio» rispose. «Come va?».

«Uno splendore. E tu?».

«Sono in ritardo e ho una mattina complicata».

« Ti sei abbottonato male il camice ».

« L'avevo notato ».

« Ti ricordo che i primi sintomi di decadimento cognitivo sono gli errori di esecuzione negli automatismi più semplici ».

« Tutti spiritosi, stamattina ».

Si sbottonò rapidamente e compì l'operazione inversa. Poi prese un fazzoletto di carta da un pacchetto sulla scrivania, si tolse gli occhiali e pulì le lenti alitandoci sopra.

« Chi ha fatto il giro? » domandò.

« Pieri ».

« Novità? ».

« Abbiamo fatto un EEG al ragazzo della 64. Focolai epilettogeni nella zona frontale, come previsto ».

« L'encefalite della 67? ».

« Sembra evolvere bene. Trentasette e otto stamattina ».

« Che altro? Un fremito alla spina dorsale mi segnala qualche novità ».

« Poco fa abbiamo ricoverato una ragazza con sospetto TIA. È in radiologia. Come lo sapevi? ».

« Ho poteri extrasensoriali ».

« Lo sospettavo ».

« Succede a tutti dopo un decennio qui dentro. De Angelis, che lavora in reparto dal '92, è addirittura telecinetico: raddrizza le posate con la forza del pensiero. In realtà non riesce a piegarle, ma solo a raddrizzarle: il che, da un punto di vista meramente performativo, lo pone un po' al di sotto di Uri Geller ».

« Ma Geller barava ».

« Lui no. Cinque testimoni, tutti più o meno sobri, l'hanno visto raddrizzare un mestolo di acciaio a una festa di capodanno. Portami il carrello delle cartelle e avvisami quando riportano al piano la ragazza ».

« Va bene ».

« Martinelli? La sua astronave non è nel parcheggio ».

« Non so se viene, oggi ».

«Va bene. Ora vai».

Il computer era ancora spento. Si chinò di nuovo e riprovò ad accenderlo.

Nulla.

Si tolse il cellulare dalla tasca e lo osservò, colto da un sospetto.

Spento.

Armeggiò per qualche secondo con lo schermo e i tasti laterali, ma non successe nulla. Possibile che non funzionasse più? Era relativamente nuovo, e di un certo livello: in uso esclusivo al viceprimario del reparto – ossia lui.

Si sporse oltre la scrivania e osservò la ciabatta cui erano collegati computer e caricabatteria. La bicuspide della spina era adagiata a terra come la testolina fossile di un minuscolo drago.

Quasi gli venne da sorridere.

«Sarà una grande giornata» si disse.

3

Barbara afferrò l'accappatoio appeso allo scaldasalviette e uscì dalla doccia. Fred Flintstone la fissava da sotto il lavello. A differenza di Kociss, che aveva eletto Tommaso a oggetto esclusivo di tutela spirituale, Fred provvedeva alla compagnia e alla consolazione di chiunque. Da piccolo agitava le zampe con tale frenesia da scivolare sul parquet: l'effetto era simile a quello delle automobili azionate dalle gambe degli antenati eponimi del cartone Hanna & Barbera; solo con gli anni avrebbe adottato l'andatura prudente della specie in minoranza, assoggettata all'umore mutevole di coinquilini psicotici.

Barbara si fermò di fronte allo specchio e aprì l'accappatoio. Da qualche giorno la piccola cicatrice sul ventre le prudeva: anni prima aveva letto che il parto cesareo era una fonte potenziale di conflitti psicosomatici, derivanti dal rimorso di aver precluso ai propri figli le virtù immunizzanti di quello naturale. Barbara aveva la placenta previa e il ginecologo l'aveva ammonita che un parto canonico era fuori discussione: quindi, ogni tanto, le capitava di pensare che quel fatidico giorno avrebbe dovuto accogliere il piccolo tra le braccia, attaccarselo al seno per sussurrargli paroline sconnesse, attendere che le ricucissero il taglio sotto l'ombelico e poi allungare le braccia per strofinargli il visetto rugoso su fica e perineo, inondandolo di batteri salvifici. Una volta, a letto, pochi mesi dopo la nascita di Tommaso, ne aveva discusso con Davide.

« Perché non me l'hai mai detto? » lo attaccò. « Non ne sapevo nulla ».

« Credevo il tuo ginecologo ti avesse informata ».

« Figurati. Una volta chiarito che non c'era possibilità di partorire naturalmente, perché avrebbe dovuto? ».

« Tesoro, non c'è motivo di preoccuparsi: Tommaso sta sviluppando anticorpi a sufficienza ».

Al che lei si era posata un dito sulle labbra.

« Credi che uno strofinio successivo al parto avrebbe avuto gli stessi effetti? ».

« Strofinio? ».

« Sulla fica ».

« In che senso? ».

« Come *in che senso*? Se avessi preso Tommaso e me lo fossi appoggiato tra le cosce, cosa sarebbe successo? ».

Lui si era grattato la fronte.

« Be', nessun dubbio che i suoi linfociti ne avrebbero tratto giovamento » aveva risposto. « Ma non hai considerato il fattore testimoni ».

« Testimoni? Cioè? ».

« I medici e le infermiere. Immagina il titolo sul "Tirreno" il giorno dopo: *Incesto e blasfemia nel reparto maternità di una clinica privata* ».

« Ma dài ».

« Fidati. *Studentessa esegue un osceno rituale con il figlio appena nato* ».

« Dici? ».

Quindi, una settimana dopo, Barbara si era presentata a casa con una coppia di gattini. « Altri anticorpi per il piccolo » aveva annunciato a marito e cane.

Si guardò i peli del pube. Era arrivato il momento di una

scelta radicale? Tra poco più di un mese avrebbe compiuto quarant'anni e non aveva mai osato una depilazione totale. A Davide sarebbe piaciuto, ma avrebbe opposto i suoi soliti dubbi deontologici: considerata la funzione protettiva dei peli, non avrebbe mai acconsentito a compromettere la salute intima della moglie in nome del suo – banalissimo – immaginario erotico.

Quarant'anni, pensò Barbara. Tra poco più di un mese.

Stava per sprofondare in tristi riflessioni, quando le sembrò di notare un'ombra nello specchio.

C'era qualcuno in giardino?

Si girò di scatto. Chiudendo le falde dell'accappatoio con una mano, si avvicinò alla finestra.

Ispezionò il lato sinistro del cortile.

Nessuno.

Guardò a destra.

Accanto alla siepe, di spalle, c'era uno sconosciuto. Sembrava stesse cercando qualcosa.

Com'era entrato?

Barbara si legò bene in vita la cintura e uscì dal bagno. Attraversò la sala, aprì la porta e si ritrovò sulla veranda. Vide la vecchia racchetta Prince sul tavolo di ferro battuto. La prese, fece un paio di passi e si accostò allo spigolo della casa. Piegò testa e busto in direzione della siepe.

Lo sconosciuto era ancora lì, di schiena, tra la photinia e la Mini Countryman azzurra.

Era un ragazzo, a giudicare dall'abbigliamento. Cappellino con la visiera all'indietro, canottiera viola traforata, pantaloni al ginocchio e scarpe da tennis. Era chino sulla siepe e divaricava il fogliame con entrambe le mani.

Barbara fece altri due passi e uscì allo scoperto.

«Ciao» disse. «Posso aiutarti?».

Il ragazzo si raddrizzò, come folgorato. Si voltò con un certo impaccio, la bocca semiaperta. Era alto e massiccio, ma più giovane di quanto sembrasse di spalle.

«Hai perso qualcosa?» chiese Barbara.

Lui deglutì un paio di volte, alzò una mano e si sistemò il cappellino. Ciuffi di capelli chiari spuntavano dai lati della visiera. Sulla canottiera c'era scritto FREMANTLE FOOTBALL CLUB.

Barbara si posò la racchetta sulla spalla.

«Dunque?» lo esortò.

Il ragazzo alzò il pollice verso la photinia.

«Il mio boomerang» disse. «È caduto qui dentro».

Barbara guardò l'intrico rossastro di rami e foglie. Si chiese di nuovo da dove fosse entrato il ragazzo. Aveva scavalcato il cancello? Aveva sacrificato qualche centimetro di pelle tra le fauci della siepe? Era così semplice entrare nel loro giardino? Forse era arrivato il momento di ampliare la tassonomia animale di casa Ricci con un cane più bellicoso e territoriale.

«Vuoi che ti aiuti a cercarlo?» disse.

Il ragazzo assentì con la testa.

Barbara si avvicinò facendo dondolare la racchetta nella destra: la sua casa era al centro di un quartiere tranquillo in una sonnacchiosa città di provincia, ma le precauzioni non erano mai troppe. Si chinò sulla siepe e cominciò a frugare tra gli arbusti, tenendosi a distanza di sicurezza.

«Dove pensi che sia finito?».

Barbara continuò a esaminare la photinia lanciando occhiate circospette al suo ospite. Una fioritura di piccoli brufoli gli decorava fronte e guance. Tutto sommato aveva un'aria inoffensiva: forse la racchetta era un deterrente sproporzionato, quindi la utilizzò per separare meglio il fogliame, camuffandone almeno in parte lo scopo intimidatorio. Ma un attimo dopo si rese conto che il ragazzo doveva averla vista mentre si contemplava nuda allo specchio.

«Sono la madre di Tommaso» disse a quel punto, senza una particolare ragione. O meglio, la ragione c'era: erigere la sua improponibilità sessuale sui pilastri di abisso anagrafico e genitorialità. Ma un secondo dopo rammentò che la emme dell'imperante acronimo MILF significava proprio *Mother*, e le toccò dare un mesto addio al baluardo della genitorialità.

Tra l'altro, era ormai certa che nella siepe non ci fosse nulla.

Strinse un po' più forte la racchetta, chiedendosi quanto avrebbe impiegato il ragazzo a elaborare una strategia dignitosa di ripiegamento. In cuor suo, aveva apprezzato un pretesto fantasioso come il boomerang, e non le importava quanto inattendibile e platealmente indecorosa sarebbe stata la scusa che avrebbe trovato adesso.

«Tommaso?» disse il ragazzo.

«Sì. Mio figlio. Lo conosci?».

«No, signora. Non conosco nessuno. Sono arrivato una settimana fa».

«Ah sì? E da dove?».

«Dall'Australia».

«Cavolo. E dove abiti ora?».

Lui alzò la testa, estrasse il braccio dalla siepe e indicò un basso edificio all'altro lato della strada.

«Lì» disse. «Al primo piano. Sotto c'è il locale di mio padre, il Labyrinth».

Barbara affondò il busto nella siepe.

Chiuse gli occhi.

Cazzo, pensò, fingendo di cercare ancora il boomerang immaginario.

Il figlio di Lenci. Il figlio dell'uomo che negli ultimi dodici mesi li aveva privati del sonno per quattro notti alla settimana. Il figlio dell'uomo che continuava a intimidirli spingendo il suo avvocato a spedire loro lettere poco meno che minatorie.

«E come ti chiami?» mormorò.

«Giovanni».

Barbara sarebbe rimasta volentieri in quella posizione fino a notte fonda, ma alla fine si decise. Prese un bel respiro, aprì gli occhi e si preparò a rialzarsi.

In quel momento vide il boomerang.

Era più piccolo di quanto avesse immaginato, e di una tonalità idonea a mimetizzarsi tra i recessi di foglie e rami di una photinia. Lo prese, si tirò su e lo mostrò al ragazzo.

«Eccolo qui» disse.

«Oh» rispose lui, abbozzando una specie di sorriso.

«Avevo un'idea balorda di questi affari» disse Barbara, porgendoglielo. «Credevo fossero molto più grandi».

«Ce ne sono parecchi tipi» rispose Giovanni, tenendolo tra gli apici per esibirlo meglio. «Questo è un pezzo originale, dipinto da un Noongar. Sono aborigeni, vivono nel deserto, a est di Perth».

«E tu come l'hai avuto?».

«È lì che sono stato negli ultimi quattro anni».

«Nel deserto?».

«No, no. A Perth».

«Ah. Giusto. Che sciocca».

«Grazie dell'aiuto, signora».

«Figurati».

Quindi rimase immobile, con la racchetta che le pendeva dalla mano e gli occhi su quel ragazzone un po' goffo, che scavalcava senza troppi patemi la siepe e tornava da dov'era venuto.

Pensò ai Noongar. Forse l'unica risposta possibile ai problemi della convivenza urbana era proprio una vita da nomadi nel deserto dell'Australia sudoccidentale.

4

Era quello, il ristorante? Tommaso si grattò la nuca, perplesso.

Sull'insegna c'era scritto MERCATINO DEL PESCE, e a lui non sembrava possibile che sua madre, una vegana oltranzista, avesse acconsentito a pranzare in un posto con un nome del genere. Poco prima suo padre gli aveva inviato un messaggio avvertendolo che non riusciva a raggiungere in tempo Villa Callipo, e suggerendogli di prendere un autobus o farsi accompagnare da un adulto fino al civico 1534. Come al solito, aveva esorcizzato la terza opzione, la più logica e immediata, la più economica in termini di tempo e denaro – farsi portare in scooter da Giorgio, Matteo o Anna –, nel modo più semplice: omettendola. Tipico espediente paterno che a Tommaso ricordava sempre l'antica censura dei timorati di Dio: non nominare il diavolo – non pensarlo neppure – nel timore di vederlo apparire.

E poi, qualche ora prima aveva detto 1524.

Alla fine aveva chiesto un passaggio a Giorgio, che dei suoi compagni non era il più dotato intellettivamente, ma guidava con prudenza indecorosa. Arrivò a destinazione all'una in punto. Indossava una camicia a maniche corte, pantaloni corti e scarpe da tennis: si chiese se i vestiti fossero adatti al tono del locale, ma appena aprì la porta verificò con sollievo che il suo abbigliamento era fin troppo sofisticato rispetto allo standard della clientela.

La sala era zeppa di gente. I tavoli erano quasi tutti occupati e una lunga fila di persone attendeva alla cassa, mentre sui quattro sgabelli al bancone erano appollaiati in equilibrio precario altrettanti avventori. Uno specchio rettangolare copriva la parete più lontana. Dalla finestra, spalancata sul lato occidentale, era visibile un patio di legno pieno di tavolini. Le cameriere indossavano pantaloni chiari e una camicia nera a disegni floreali con le maniche arrotolate.

Tommaso s'incuneò tra le persone in attesa, oltrepassò la cassa e si fermò accanto a un frigorifero nero e monolitico. Guardò il suo riflesso sul vetro dello sportello.

Devo tagliarmi i capelli, pensò.

Una ragazza in abito chiaro di cotone si avvicinò al frigo e gli chiese il permesso di prendere qualcosa, come se Tommaso ne fosse il custode.

Lui si fece rapidamente da parte e guardò la ragazza estrarre due lattine di Pepsi. I suoi sandali, notò, avevano un'allacciatura incredibilmente elaborata.

Il telefono vibrò nella tasca anteriore dello zaino.

Un messaggio di sua madre:

«Sei dentro?».

Rispose di sì e alzò gli occhi all'ingresso. Un gruppo di persone proruppe in una risata colossale dietro di lui. Un attimo dopo – come attratta dalla forza centripeta di quella vibrante ilarità – entrò sua madre. Indossava jeans attillati, una camicetta rosa pallido e scarpe da barca. L'uomo accanto alla porta la radiografò dai capelli alle caviglie, sincronizzando la scansione degli occhi con il corrugarsi progressivo della fronte.

Barbara fece un cenno in direzione di Tommaso.

«Ciao tesoro» disse, appena a tiro di voce.

41

« Ciao mamma ».

« Posticino affollato. Mi auguro che papà abbia prenotato un tavolo » disse, quasi a se stessa.

Tommaso sollevò un sopracciglio.

« Conoscendolo, avrà pensato che lo facessi io » insinuò lei. « Cerchiamo di bloccare una di queste vivaci cameriere e vediamo quante speranze ci sono di ottenere tre sedie ».

Uno dei quattro uomini seduti accanto a un séparé di pelle li stava fissando. Si asciugò la bocca con il tovagliolo, poi si alzò. Disse qualcosa al commensale più vicino, si divincolò a fatica dalla stretta dell'attaccapanni e si diresse verso Barbara e Tommaso. Era alto e corpulento, con lo sguardo umido e leggermente diffratto di chi ha oltrepassato il limite ragionevole di aperitivi. Si avvicinò nel rintocco solenne di un paio d'incomprensibili stivali.

« Carmen » disse a Barbara. « Ehi, Carmen ».

Lei si girò a guardarlo.

« Scusi? ».

« Non sei Carmen? » replicò lui, con finta sorpresa. « Isabel, allora. O Dolores? ».

Barbara scosse la testa.

« Credo che mi confonda con qualcun'altra ».

« Maria? » continuò lui. « Pilar? ».

Lei prese la mano di suo figlio.

« Sta tirando a indovinare? Comunque sia, non sono la persona che cerca ».

L'uomo annuì.

« Forse hai ragione » disse. « Ed è un peccato. Perché ora che ti guardo da vicino, ho la certezza che se ti avessi incontrata prima questo bel ragazzo sarebbe mio ».

« Molto galante » ammise Barbara. « Ora, se non le spiace, mi sembra di aver notato mio marito laggiù ».

E così dicendo si mise a fissare il fondo della sala, sperando che l'uomo non fosse troppo ubriaco e desistesse senza ulteriori tentativi.

Per tutta risposta lui fece un altro passo e le afferrò un lembo della camicetta.

« Dove vai? » disse. « Non mi sembra il caso di interrompere due chiacchiere promettenti ».

Lei guardò la mano dell'uomo, incredula.

« Mi lasci ».

« Non ci penso nemmeno ».

« Mi lasci, per favore » ripeté Barbara.

« Non posso. Ho appena detto ai miei amici che ti avrei portata al nostro tavolo ».

« E io le ho appena detto che sto aspettando mio marito ».

« Veramente hai detto di averlo *notato*. Dimmi la verità, non c'è nessun marito. Meglio per lui. Non mi va di maltrattare un poveraccio che nemmeno conosco ».

Davide era appena entrato, e dunque si trovava dalla parte opposta rispetto alla fantomatica posizione vagheggiata da Barbara. In quel momento era incagliato a cinque o sei metri dalla cassa, dove una colonia di turisti tedeschi, oppure olandesi, era assorbita in una problematica divisione del conto. Si ritrovò pigiato tra una decina di signori di mezz'età che scrollavano teste affette da molteplici tonalità di grigio-biondo: alzò lo sguardo e notò sua moglie e suo figlio invischiati in una strana situazione. Chi era quell'uomo? Che stava succedendo? Davide rimase lì, confuso, percependo la velata minaccia effusa dalle circostanze, ma allo stesso tempo perplesso di fronte a una situazione suscettibile di una mezza dozzina d'interpretazioni, non tutte necessariamente incongrue o spiacevoli. Almeno fino a quando il senso di latente sopraffazione si reificò nel lembo della camicetta di sua moglie afferrato dalla mano di un estraneo, con tutta la sua messe di urticanti simbolismi.

A quel punto si pietrificò. Per lunghi attimi si scoprì incapace di muovere un muscolo. Pur di non agire, pur di crogiolarsi in quel subbuglio inerte e penoso, tentò di convincersi di aver sbagliato ristorante, e che quella donna e quel ragazzo non fossero la sua famiglia, ma estranei somaticamente affini alle prese con i problemi alcolici di un parente o di un amico; per un breve, allucinante momento, considerò persino l'ipotesi di essere penetrato nelle plaghe di un universo parallelo, dove un uomo alto e grosso, in giacca, cravatta e stivali, aveva sposato *sua* moglie e generato *suo* figlio.

Il quale aveva appena alzato gli occhi verso la cassa, sgomento, forse cercando l'aiuto del barista o di una cameriera. Davide incassò la testa nelle spalle appena in tempo per non farsi vedere.

(O no?).

Barbara, nel frattempo, aveva afferrato la mano dell'uomo per costringerlo a mollare la presa.

«Mi lasci andare, per favore».

«Certo. Ma solo dopo che mi avrai accompagnato al tavolo».

Tommaso dovette chiedersi perché nessuno si fosse ancora accorto che i tentativi di seduzione dell'uomo erano mutati in qualcosa di più odioso.

«Forse è il caso che mi presenti» disse a quel punto l'uomo allungando il braccio libero verso Barbara. «Ottavio».

Lei non si mosse. Tommaso guardò la mano dell'uomo, forse soppesando l'evenienza che allungare la sua, stringergliela e declinare le generalità di entrambi fosse la via d'uscita dall'imbarazzante circostanza in cui si erano infilati.

Poi accadde ciò che accadde.

Qualcuno si fece largo tra la folla dalla parte opposta del locale e irruppe sulla scena.

Come in un sogno, Tommaso e Barbara videro uno sconosciuto afferrare il braccio proteso dell'uomo.

Il quale ebbe appena il tempo di spalancare la bocca.

«Ehi, ma che diavolo...» disse, prima di essere scaraventato sulla parete di perlinato in uno schianto fragoroso.

Da qualche angolo del locale salì l'urlo soffocato di una donna.

Ottavio assorbì la collisione tra schiena e muro con un singhiozzo penoso. Il brusio di parte della folla si attorcigliò in un mormorio intimorito.

Lo sconosciuto si avvicinò rapidamente a Ottavio e gli piantò l'avambraccio sinistro sul collo: gli alloggiò il destro nell'incavo del gomito e gli inserì le ginocchia tra le gambe, foggiando una specie di calappio di muscoli e ossa. Quando l'altro cercò di divincolarsi, aumentò la pressione sulla gola.

«Sai qual è il tuo problema, bello?» gli disse. «Ti ho osservato spesso qui dentro, e il problema è che fai troppo rumore. Parli troppo, a voce alta e quasi sempre a sproposito. Senza contare gli stivali».

E qui allungò il braccio destro, afferrando un coltello dal tavolo accanto al frigorifero.

Una giovane cameriera, immobile accanto all'ingresso del patio, si portò le mani alla bocca. Il silenzio nel locale si era fatto assoluto.

Ottavio tentò di liberarsi, ma lo sconosciuto non arretrò di un millimetro, soppesando il coltello nella destra. Guardò il basso ventre dell'uomo, poi caricò platealmente il braccio all'indietro e sferrò un fendente poco sotto il cavallo dei suoi pantaloni.

Ottavio si sollevò sulla punta dei piedi un attimo prima che il coltello s'infilasse nel perlinato con uno schiocco poderoso.

Si alzò una mezza dozzina di urla femminili.

«Oddio» gridò Ottavio. «Dio santo».

La mano di Barbara ebbe un sussulto in quella di Tommaso.

Lo sconosciuto fece un passo indietro e guardò il suo avversario. Era attaccato al muro, con le braccia allargate e i talloni sollevati: sembrava un tremebondo dilettante dell'adulterio che avesse trovato riparo sul cornicione dell'alcova appena profanata.

«Vedi, amico,» gli disse «non voglio costringerti a non farti più vedere qui dentro, ma credo sia il caso di istruirti sulle condizioni necessarie affinché la nostra convivenza prosegua in modi più civili di quanto le premesse spingerebbero a ritenere».

Alzò una mano e l'avvicinò al viso dell'uomo, il quale, temendo il peggio, atteggiò i lineamenti a una maschera di genuino terrore. Ma l'altro si limitò a chiudere la mano e a tirare fuori il pollice, puntandolo verso i suoi talloni sollevati.

« *In punta di piedi* » disse. «Impara a muoverti così: in punta di piedi. Credo tu abbia capito che mi piace la gente silenziosa».

Ottavio annuì freneticamente.

L'altro assentì sua volta, soddisfatto. Poi si girò e si diresse alla cassa. Il gruppo di anziani turisti, che aveva assistito alla scena nella passività sorniona e vagamente assuefatta degli spettatori televisivi, si fece da parte per farlo pagare. Davide ne approfittò per guardarlo meglio. Aveva i capelli rasati, e gli occhi scuri erano inseriti in un viso concepito come un trionfo ecumenico di trigonometria – isosceli naso e mento, scalena l'attaccatura dei capelli, acuta la sporgenza delle orbite. Tirò fuori il portafogli dalla tasca posteriore e ne trasse una banconota da venti; poi declinò con un cenno il resto e si allontanò verso l'uscita.

A quel punto Davide uscì allo scoperto.

«Che è successo?» disse a sua moglie. «Sono appena arrivato».

E qui fissò l'uomo appeso al muro, simulando un sincero sbalordimento.

Ottavio respirava a bocca aperta. Uno dei suoi amici si stava applicando, senza apparenti risultati, a estrarre il coltello dal perlinato.

«Niente d'importante» disse Barbara. «Ma forse è meglio andare a pranzo da qualche altra parte».

Mentre raggiungevano la BMW Davide chiamò un piccolo ristorante in via dei Garofani e prenotò un tavolo.

Tommaso s'infilò le cuffiette e si stravaccò sul sedile posteriore. Barbara prese posto accanto a Davide, tirò giù l'aletta parasole e si guardò allo specchio. Poi aprì la borsa e ne perquisì rumorosamente l'interno.

«Tutto bene?» le chiese Davide.

«Sì».

«Cos'è successo lì dentro?».

«Nulla d'importante».

«E quel tale al muro con un coltello tra le gambe?».

«Un ubriaco» rispose lei, estraendo dalla borsa un paio di occhiali da sole.

«Con chi ce l'aveva?».

«Con me. Era in vena di romanticherie».

«E poi?».

«E poi è intervenuto un ragazzo con i capelli rasati. È uscito un attimo prima che arrivassi tu».

«E chi era?».

«Che vuoi che ne sappia? Non è stato così educato da presentarsi».

«E ha preso a botte il tale?».

«No. Si è limitato ad appenderlo al muro».

«E Tommaso?».

«Tommaso cosa?».

«Come sta?».

Barbara indossò gli occhiali e si girò verso il marito.

«Perché non lo chiedi a lui?».

«Ha le cuffie».

«Meglio. Si rilasserà».

«E tu? Come ti senti?».

«Come vuoi che mi senta?».

«Frastornata, immagino».

«Immagini bene. Se c'è una cosa peggiore di essere abbordata da un idiota ubriaco, è vedere quello stesso idiota inchiodato al muro e quasi evirato da uno che parla come i tirapiedi di Tarantino».

«Quel tirapiedi ti ha difesa, però».

«Non avevo bisogno del suo aiuto. Eravamo in un locale pieno di gente: cosa poteva succedermi?».

«Non lo so. Nulla, credo».

«È odioso quello che è accaduto».

«Odioso. Certo».

«E sai cosa c'è di persino peggiore? Starsene qui ad ascoltare le prevedibili obiezioni di tuo marito».

«Obiezioni? Di che parli?».

«*Quel tirapiedi ti ha difesa.* Come la chiami questa?».

«Non certo un'obiezione. Ho espresso un semplice dato di fatto».

«Mediante il quale hai praticamente giustificato l'uso della violenza».

«Non è vero».

«Sì, invece. Prova a negare che quasi tutti i maschi fantasticano di risolvere un litigio menando le mani, se solo ne avessero il coraggio».

«Be', non è il mio caso. Sai bene che odio ogni forma di violenza».

Barbara sembrò voler replicare, ma poi non disse nulla. Incrociò le braccia e si mise a fissare fuori dal finestrino.

«Scusami» disse alla fine. «Non volevo prendermela con te. Tu non c'entri nulla».

Allungò un braccio per posare una mano sul dorso della sua.

«Sai di cosa ho davvero bisogno?».

«Certo» rispose Davide. «Di dolcezza».

«Macché dolcezza. Ho bisogno di una tortilla di carote, porro e semi di lino ripiena di tempeh e crema di avocado».

«Capisco».

«E di una doppia porzione di semifreddo di anacardi con gastrique alle more selvatiche».

«Lo vedi che in qualche modo la dolcezza c'entrava?».

5

Il primo paziente del lunedì aveva sei anni e si chiamava Camillo. Barbara gli attaccò un adesivo dorato a forma di stellina sulla tenera epidermide del polso sinistro: era il premio per aver identificato gli oggetti nascosti in un sacco usando solo le mani. Ora Camillo, seduto su una piccola seggiola di plastica rossa, attendeva la prova successiva con le braccia abbandonate in grembo e un'espressione di complessa infelicità.

Era alla sua sesta seduta.

L'idea era gratificare i piccoli pazienti qualunque fosse l'esito del gioco. Una stellina non era un premio al successo, ma l'attestazione che gli adulti avrebbero apprezzato l'impegno anche se non avesse prodotto il risultato sperato.

Barbara invitò il bambino a sistemarsi davanti allo specchio.

Sua madre, che ogni lunedì e venerdì lo accompagnava allo studio, sembrava il tipo di persona che non avrebbe gradito una seconda allusione al fatto che in una cospicua percentuale di casi la «esse sifula» dei bambini ha un'origine ansiosa.

«Sole» disse Barbara, sillabando senza accentuare troppo la distanza tra i fonemi.

«Sole» ripeté il bambino, guardandosi le labbra allo specchio.

Nel corso del colloquio preliminare la donna non si era mai tolta gli occhiali scuri: lo stesso era accaduto nei brevi intervalli successivi alle lezioni, durante i quali Barbara la informava dei progressi di Camillo.

«Sacco».

Il bambino ripeté la parola facendo scivolare l'aria oltre la lingua insinuata tra la fessura delle arcate dentarie. Il suo sigmatismo era proprio di tipo interdentale.

«Sale» sillabò Barbara.

«Sale» ripeté Camillo.

Anche se non poteva esserne sicura, Barbara aveva la sensazione che la madre attendesse la fine della seduta limitandosi a fissare il muro ocra della sala d'aspetto, senza mai consultare il cellulare o leggere una delle riviste a disposizione sul basso tavolinetto laccato.

«Bene» disse, annuendo.

«Bene» ripeté Camillo.

Ora i suoi occhi di velluto sembravano meno timorosi. Forse cominciava a fidarsi dell'autoproclamata «amica della mamma» che incontrava ogni lunedì e venerdì.

Barbara si chiese cosa ne sarebbe stato di lui.

Era ancora di cattivo umore per l'episodio del giorno prima. Quando si sentiva così, quando la sua tetraggine collideva con i problemi di un piccolo paziente, le capitava di sospendere temporaneamente le procedure cliniche e concedersi un rapido ristoro dalla follia del mondo.

Il mondo delle mani che afferrano le camicette altrui. Il mondo delle mani che brandiscono coltelli.

Il bimbo espose il polso sinistro, forse aspettandosi un'altra stellina in premio. Ma Barbara gli avvicinò la mano al viso e gli afferrò delicatamente la mandibola. Formò una coppa sotto il suo mento, le dita ancorate alle guance lisce e floride. Le labbra di Camillo assunsero la caratteristica sembianza a cuoricino delle bocche costrette. I suoi occhi esprimevano una legittima curiosità per l'anomalia della procedura.

Barbara avvicinò il viso al suo e gli scoccò un bacio alla confluenza tra naso e labbra.

«Tutto andrà a posto» disse.

6

Negli ultimi anni, Barbara si era lasciata contaminare da una tale quantità di idiosincrasie alimentari che per un certo periodo, in coincidenza con una fase di inappetenza di Tommaso (al quale non voleva confondere ulteriormente le idee), si era chiesta se non fosse il caso di autoesiliarsi dalla sala da pranzo per dispensare i suoi familiari dall'imbarazzo di compatire in silenzio le sue fisime palatali.

Poi, con il tempo, Davide e Tommaso si erano faticosamente adattati, al punto che la proscrizione occasionale di carne, uova, pesce, latticini, zucchero e caffè era diventata una regola rispettata da tutti.

Quella mattina Davide preparò tre tazze di yogurt di soia e ne cosparse la superficie con altrettanti cucchiaini di semi di lino frullati. Poi prese dal frigo un cartone di latte d'avena e lo posò sulla penisola. Riempì le ciotole di gatti e cane e corroborò con qualche carezza lo spirito di Fred Flintstone. Mentre aspettava che Barbara e Tommaso finissero di lavarsi si accostò alla finestra.

Sua moglie fu la prima a scendere. Si avvicinò e gli cinse il petto con le braccia.

Davide osservava qualcosa con aria concentrata.

« Che c'è lì fuori di così interessante? » gli chiese Barbara.

« Un ragazzo. Sul tetto di casa dei Lenci ».

« E che fa? ».

« Lancia un boomerang ».

« Lo conosco » disse Barbara, sporgendo la testa a sua volta. « È Giovanni, il figlio di Massimo. Ha passato un po' di tempo in Australia, dove ha appreso i segreti delle armi primitive da una tribù indigena ».

« E tu come lo sai? ».

« Me l'ha detto lui. L'ho conosciuto ieri mattina: sembra un bravo ragazzo. Ogni tanto, grazie a Dio, i caratteri ereditari sono un boomerang con qualche difetto di traiettoria ».

« Io non ne sarei così sicuro. Appostarsi sul tetto di casa ad allenarsi con un'arma di minima letalità: sembra il tirocinio di un adolescente sociopatico che aspiri a impallinare cittadini innocenti con la carabina da caccia di suo zio ».

« Figurati ».

« In ogni caso teniamolo d'occhio ».

Si sedettero sugli sgabelli della penisola. Davide versò a entrambi un po' di latte d'avena.

« Come va con Martinelli? » chiese Barbara.

« Bene. Almeno finché non lo vedo. È latitante da due giorni ».

« In ferie? ».

« Non mi risulta ».

« Come pensi che finirà? ».

« Va' a saperlo. Ma se si limita a piccoli sabotaggi posso resistere. La settimana scorsa ha nascosto le cartelle cliniche di due pazienti sulla vaschetta dello sciacquone. L'altro giorno ha staccato la spina di tutti gli apparecchi elettrici e tolto le batterie dell'orologio a muro dell'ufficio. È sempre stato un eccentrico, lo sai, ma ora sta passando il limite ».

« Fa così solo con te? ».

« Più o meno ».

«Ti ha rimproverato di nuovo?».

«No. Non in pubblico».

«Forse è un po' depresso».

Davide scrollò le spalle.

E qui Barbara flesse la gamba sinistra per posarla sulle ginocchia del marito.

«Pensiamo a qualcosa di meglio».

«Cioè?» chiese lui.

«Massaggiami il piede».

«Il piede? Perché? Ti fa male?».

«Ma no. Massaggiami, dài».

«Dove?».

«Lì sotto. Un po' dappertutto. Fai tu».

Davide le afferrò la pianta e le frizionò la pelle.

«Cos'è che diceva Freud a proposito del piede come feticcio sessuale?» domandò lei.

«Non me lo ricordo».

«Ahi» disse. «Grave, per uno studioso del tuo livello».

«Non sono mica uno psicoanalista».

«Non diceva che il piede contribuisce all'eccitazione perché evoca la forma del fallo?».

Davide sollevò il piede e le baciò un alluce. Da quando le aveva spiegato la correlazione neurologica tra sesso e piedi, Barbara aveva sviluppato una strana fissazione per le estremità.

«Sì» disse Davide. «Mi pare di sì».

«Bene. Ora però, con tutto il rispetto per il pregevole contributo accademico del nostro Sigmund, non trovi che l'identificazione simbolica di pene e piede sia, come dire, una teoria del cazzo?».

«Sempre pensato» confermò lui, strofinandole il naso sulle dita.

«Perché mai un piede dovrebbe suggerire qualcosa di diverso da una struttura anatomica concepita per camminare?».

«Non te l'avevo già spiegato?».

«Rispiegamelo da capo, dottore».

Kociss piombò improvvisamente in cucina dalle scale, piccolo presagio irrequieto dell'arrivo di Tommaso. Con una rapida contorsione, Barbara tolse la gamba dalle ginocchia di Davide, afferrò la tazza di latte e se la posò sulle labbra.

«Ehilà» disse Tommaso, scendendo le scale con l'iPad in mano.

«Buongiorno» risposero in coro i suoi.

«Vado in veranda a leggere una cosa».

«E non fai colazione?».

«Tra un po'».

Tommaso chiuse la porta di casa e si lasciò cadere sulla sedia di metallo. Fred Flintstone, sdraiato sullo zerbino, guardava qualcosa oltre la siepe. Tommaso posò il tablet sul tavolo e notò la vecchia Prince appoggiata al pilone di legno della tettoia. Sua madre la usava per palleggiare sul muro del retro quando non era in vena di chiudersi in palestra.

Gli occhi di Tommaso salirono improvvisamente oltre l'apice della veranda, catturati da un'immagine nella cornice di cielo fra tetto e grondaia.

Il boomerang aveva appena terminato di disegnare il silenzioso estremo della sua ellisse e si preparava a tornare all'origine: esitò per un microsecondo – un fotogramma breve e infinito, così irreale da cauterizzare le retine –, poi deviò oltre la veranda e svanì.

Più tardi Davide entrò in auto e posò la cartella sul sedile posteriore. Uscì dal giardino e percorse poche decine di metri. Quindi vide l'uomo in canottiera, con la mano alzata.

Era Massimo Lenci, il suo vicino di casa.

Inalò a fondo, cercando di attingere serenità da qualche profondo recesso interiore.

Rallentò fino a fermarsi proprio davanti all'ingresso del Labyrinth, circondato da un ampio cortile tappezzato di erba, ligustri selvatici e tavolinetti di legno. Tra lo steccato e le siepi s'innalzava la barriera fonoisolante, con tutto il suo malinconico retaggio d'inconcludenza.

Lenci lo accolse con una strana espressione accomodante.

Davide abbassò il finestrino del passeggero e fissò il suo vicino. Aveva i capelli lunghi, pettinati all'indietro, folti nonostante i cinquantacinque anni suonati. Gli occhi, di un celeste anemico, spiccavano su una barba di almeno tre giorni. La canottiera aderiva all'ampio addome dei sedentari cronici, vistosamente contraddetto dalla massiccia ipertonia di spalle e braccia. In passato era stato rappresentante di scarpe, mediatore immobiliare, agente di commercio, addetto alle risorse umane di un call-center e manager musicale per una piccola etichetta di Modena, città nella quale aveva vissuto per anni dopo aver lasciato Lucca. L'identikit del perfetto imbonitore, diceva sempre Barbara.

«Buongiorno» disse. «Come va?».

«Tutto bene, più o meno» rispose Davide. «E lei?».

«Oh, non mi lamento. E la sua signora?».

«Bene anche lei».

«E suo figlio? Non credo di averle mai detto quanto apprezzo quel ragazzo. Ha un'aria fiera e intelligente, da primo della classe, ma lo sguardo rispettoso di chi non te lo fa pesare».

«Grazie».

«Lo sa? Una decina di giorni fa è arrivato il mio maschietto dall'Australia: sua madre ha qualche impiccio di lavoro e se l'è levato di torno per un po'. A occhio e croce direi che suo figlio ha l'età del mio: magari potremmo farli conoscere».

Davide annuì, senza troppa convinzione.

«È una gioia averlo tra i piedi» continuò Lenci. «Anche se non le nascondo che un'altra bocca da sfamare è un peso non da poco. In questo periodo sono a spasso, come senz'altro saprà. Grazie a Dio ho un amico che ha un'azienda agricola: ogni tanto mi chiama per qualche lavoretto, ma non è che ne ricavi granché».

Fece un cenno in direzione del locale.

«Sarebbe ora che questa baracca ricominciasse a fruttarmi qualcosa, non crede?».

Davide infilò un dito nel colletto della camicia.

«Perché no?» disse. «Ma non dipende certo da me».

Toccò a Lenci annuire.

«Ovvio» disse. «Ma me ne sto occupando, non dubiti. Appena avrò sistemato un paio di pendenze con il Comune sarò pronto per rientrare in scena».

«Bene. Sono contento per lei. Ora, se non le dispiace, mi aspettano in ospedale».

Lenci posò una mano sul tetto e si chinò di qualche grado. Un piccolo crocifisso d'oro oscillò sul montante della portiera.

«In ospedale, certo» disse. «È un bel lavoro il suo, ma dubito che la costringa a sporcarsi le mani tanto spesso. Il mondo ha bisogno di gente come lei, dottore. Però le assicuro che ne ha altrettanto di gente come me».

Davide non poté far altro che assentire.

«C'è un sacco di gente strana in giro» proseguì Massimo. «Gente che di solito non si affaccia nelle vite di persone come lei. Ed è una fortuna, lasci che glielo dica. Di tenere buona gente come quella è meglio che si occupino tipi come me».

«Non sono sicuro di capire a cosa si riferisca» ammise Davide a quel punto.

Massimo posò entrambe le mani sulla portiera, sollecitando più intimità. Davide rispose con la sua vacua espressione da corsia.

«I medici hanno a che fare con il dolore ogni santo giorno» disse. «Ma almeno il dolore è un sentimento nobile, non crede? Dalle parti della sofferenza c'è sempre, o quasi, un avamposto di dignità».

E puntò gli occhi celesti in quelli di Davide.

«Ma a me è toccato avere a che fare con uomini che si portano dietro emozioni molto meno nobili della dignità, dottore».

Davide notò il piccolo tatuaggio a forma di spirale sulla falange del mignolo destro.

«Qui da me non entrano solo bravi ragazzi che vogliono ballare e farsi un bicchiere. Ogni notte vedo gente che non immagina nemmeno, amico mio. Gente che faticherebbe anche solo a credere reale. Gente il cui territorio di caccia è la notte, e preghi Dio che sia sempre così. E guardi che non parlo di tossici, ubriaconi o disperati del genere. Parlo di uomini che hanno un rapporto talmente disinvolto con la parte peggiore di se stessi da lasciare a bocca aperta. Uomini i cui istinti sono tossine mortali. Parlo di gente, dottore,» – e qui allungò il collo di qualche centimetro – «che ammette la possibilità dell'omicidio come soluzione di problemi che io e lei definiremmo semplicemente ridicoli».

Davide inalò lentamente dalle narici.

«Un quadro antropologico chiarissimo,» disse «ma non capisco cosa c'entri con me».

L'altro sorrise, mettendo in mostra una dentatura sorprendentemente regolare. A Davide venne in mente la mezza dozzina di volte in cui l'aveva ucciso, poco dopo il risveglio, seguendo impulsi non proprio indirizzati alle inattese conseguenze di vita prospera cui i suoi pensieri si rivelavano propizi. Nella maggior parte dei casi immaginava che finisse in cenere insieme al suo locale, quasi sempre per un incendio fortuito: non si era mai trastullato con la possibilità che fosse accoltellato da un cliente.

«Be', il fatto è che non è semplice tenere a bada i miei clienti con gli amplificatori al minimo» rispose. «Ed è ancora più difficile se lo spettacolo deve concludersi entro l'una e mezza».

«C'è una legge in merito» disse Davide. «E che ci creda o no, non l'ho scritta io».

«No, no di certo. Ma è lei ad avermi denunciato».

«*Denunciato* non è la parola esatta. Ho solo presentato il problema all'assessore, il quale non ha potuto fare altro che convocare i tecnici dell'ARPA».

«Tecnici ai quali lei ha fornito ospitalità per tutti i rilievi fonometrici, se non sbaglio».

Davide si lasciò sfuggire un risolino imbarazzato.

«Nessun problema ad ammetterlo» disse. «Ma le assicuro che non ce ne sarebbe stato nemmeno bisogno. Ottantadue decibel di picco: ventisette sopra il limite. L'avrebbero beccata persino se si fossero appostati dall'altra parte della città».

«Se le piacciono le cifre, aggiunga all'elenco due settimane di chiusura e tremila euro di multa».

«Non era mia intenzione danneggiarla. Ma io e la mia famiglia abbiamo bisogno di riposo, signor Lenci. È difficile fare bene il mio lavoro, per il quale ha appena dichiarato di provare così tanto rispetto, dormendo meno di tre ore per notte».

«Sono solo tre sere alla settimana».

«A me risulta che siano quattro. Ma anche ammettendo che siano tre, stiamo comunque parlando di conseguenze dannose sul cinquanta per cento della mia settimana lavorativa».

«Conosco medici che fanno solo turni pomeridiani».

«Ne conosco anch'io. E ne conosco molti obbligati, di conseguenza, a fare quasi sempre i turni mattutini. Uno dei quali è di fronte a lei in questo momento».

«Perché non cerca di venirmi incontro, invece di respingere ogni proposta?».

«Proposte come quelle arrivate l'altro giorno dal suo avvocato?».

Lenci scrollò le spalle.

«Lasci perdere gli avvocati. Servono solo a complicare le cose».

«Allora diciamo che sarò felice di accogliere proposte sensate appena ne riceverò una».

«Spero si renda conto che lei è l'unico, qui attorno, a lamentarsi di me».

«È qui che si sbaglia. Si lamentano tutti, ma non hanno il coraggio di esporsi».

«E perché, secondo lei?».

Davide non rispose.

Lenci si avvicinò fino quasi a infilare la testa nell'abitacolo.

«Crede che abbiano paura di me?» chiese.

«Non lo so. È possibile».

«E lei? Lei non ha paura?».

Davide mosse le labbra per dire qualcosa, ma non gli venne in mente nulla.

Massimo si guardò le mani e incrociò le dita, assumendo un'inverosimile posa da predicatore.

«Lo sa?» disse. «Una volta ho quasi sgozzato un uomo, in un bar».

Puntò gli occhi in quelli di Davide, che non riuscì a evitare di aprire, lentamente, la bocca.

«È stato in un bar fuori Modena, quattro anni fa. Ho usato un cavatappi. Non ricordo nemmeno perché. C'è da dire che eravamo parecchio sbronzi tutti e due. Abbiamo cominciato a discutere di chissà cosa, e a un tratto quello ha preso una bottiglia di birra e me l'ha spaccata in testa».

Davide non riusciva a staccare gli occhi da quelli del vicino.

«Ha mai preso una bottigliata sulla zucca, dottore?» andò avanti lui. «Immagino di no. Ma saprà senz'altro quale tipo di trauma si produca nel cervello. È una delle attenuanti usate dal mio avvocato, lo sa? Secondo la sua ricostruzione, avrei afferrato il cavatappi sul tavolo perché le mie facoltà erano state *temporaneamente offuscate dal colpo ricevuto*. Ha detto proprio così. E i giudici devono avergli creduto, perché mi hanno dato solo due anni. Due anni con la condizionale, dottore, anche se quel tipo l'ho quasi accoppato».

Allungò una mano e la posò sul sedile.

«Lei che ne pensa? È possibile che sia stata proprio quella bottigliata a... come dite voi esperti... inibire il mio autocontrollo? O quel tipo l'avrei quasi ammazzato anche se mi avesse colpito a un braccio o a una spalla? È lei lo specialista di cervelli, dottore. Perché non mi dà un parere?».

Davide lo guardava, incapace di proferire parola.

A quel punto Lenci alzò il braccio e lo mosse lentamente verso di lui. Per un breve, terrificante attimo, Davide fu certo che gli avrebbe posato una mano sul petto, squarciato la camicia e inciso con l'unghia del pollice un piccolo solco alla convergenza tra sterno e costole: da lì, insinuando le dita tra le cedevoli miofibrille, divaricandogli le cartilagini costali in un fulgore scarlatto di fluidi e tessuti recisi, gli avrebbe strappato il cuore, imponendogli la semplice malia narcotizzante di quei torbidi occhi azzurri – oltraggio definitivo, cui Davide non avrebbe opposto altro che una spettacolare emottisi purpurea, negli orrendi spasmi epilettici dell'agonia.

Lenci fermò il braccio all'altezza del volante.

Sorrise e aprì le dita, invitandolo a un contatto.

Davide non riuscì a impedirsi di togliere la mano dal volante per stringere la sua.

«Buona giornata, dottore» disse il suo vicino, in tono allegro.

7

Qualche anno prima, un collega di cardiologia aveva confidato a Davide di aver sorpreso un'amichetta quindicenne del figlio mentre usciva da una delle camere della sua villa di campagna, con la camicetta sbottonata e i piccoli seni che ammiccavano dai lembi di cotone. Era la notte di San Silvestro, e il suo primogenito aveva organizzato un veglione con una trentina di amici al pianoterra, mentre il resto della famiglia cenava al piano superiore. Il cardiologo aveva detto che la ragazza era rimasta indifferente alla sua presenza, fronteggiandolo senza nemmeno tentare di coprirsi, studiandolo con gli occhi spalancati di un lemure del Madagascar; e lui, che non aveva detto o fatto nulla per i primi cinque o dieci secondi, a un tratto aveva alzato il braccio sinistro e posato una mano sul seno destro della ragazza, in uno strano chiasmo che si era spiegato implicando un automatismo professionale. La ragazza aveva le labbra e il mento umidi di qualcosa che il tepore diffuso dai termosifoni non autorizzava a supporre fosse sudore, puzzava vagamente di alcol e aveva tollerato il contatto tra mano e seno senza protestare, serena e immobile come una polena. A un tratto, ricordando il motivo per cui era sceso, e nella stessa calma serafica esibita fin lì, il collega aveva tolto la mano e invitato la ragazza a ricomporsi, nella coreografia gestuale che avrebbe usato su una giovane paziente affetta da aritmia sinusale, aveva detto. Poi si era incamminato verso la taverna per prendere una bottiglia di vino, senza nemmeno voltarsi a controllare se la fanciulla avesse obbedito o meno. E qualche giorno dopo aveva raccontato l'episodio a Davide senza mostrare segni di pentimento o stupore, confidando nella sua familiarità con gli accidentali cortocircuiti della ragione almeno quanto nella sua nota inclinazione a cercare di comprendere le ragioni di tutti.

E Davide? Aveva accolto la confessione badando a non manifestare un eccesso di biasimo o perplessità, anche se non aveva esonerato il collega da un paio di domande assolutamente ineludibili a proposito del focolaio di traumi che poteva aver acceso nella psiche di una quindicenne, per non parlare delle conseguenze che si sarebbe trovato ad affrontare se la ragazza avesse deciso di estinguere il rogo in questione segnalando alle autorità giudiziarie il suo nome e cognome.

Ma il cardiologo non era parso affatto preoccupato, e Davide si era limitato a sperare che un episodio del genere non si sarebbe mai ripetuto, anche se in seguito aveva cominciato a pensare che il suo amico fosse ormai partecipe della pazzia epidemica, del folle anatocismo di isteria e corruzione in cui sembrava dibattersi l'umanità.

«Che mondo» diceva sempre sua madre, quando voleva esecrare una delle tante nefandezze apprese dalla cronaca quotidiana o i resoconti scandalizzati di suo padre sui maneggi di qualche conoscente.

Che mondo.

Era la sintesi della sua filosofia di vita, l'epitome della sua visione della civiltà, alla quale non concedeva più di cinquant'anni prima di un declino che si prefigurava aspro, rapido e soprattutto irreversibile.

Da piccolo, Davide aveva l'impressione che gli adulti condividessero la nostalgia per un tempo ideale, quasi sempre coincidente con la loro prima giovinezza: comprensibile, si diceva, ma non del tutto sensato. Far coincidere la propria infanzia o adolescenza (in pratica la miseria di un decennio o poco più, a fronte di una storia della civiltà lunga migliaia di anni) con l'apogeo della felicità collettiva sembrava sottintendere una fortuna da tredicista, o più semplicemente un delirio apofenico.

Poi c'erano coloro che ritenevano migliore ogni età precedente per il solo fatto di *essere precedente*: da cui era automatico dedurre che il periodo più sereno della storia dovesse necessariamente coincidere con i primi vagiti di qualche protoumano del Pleistocene. Per quanto lo riguardava, Davide aveva sempre pensato che l'umanità fosse uguale a se stessa dall'inizio dei tempi: porzioni di crudeltà, eroismo, viltà, idiozia, ignoranza, bontà, empatia, sensibilità e di altre qualità più o meno edificanti erano distribuite in dosi variabili tra gli umani, ma sovrintese da una fondamentale, per quanto accidentata, disposizione al bene. L'opinione di sua madre era esattamente speculare: il principio primo era la sostanziale perversione del creato (le infime qualità dei viventi sopravanzavano di gran lunga ogni eventuale virtù), con l'aggravante di una vistosa accelerazione che entro pochi anni avrebbe condotto la civiltà nel baratro. Il dettaglio divertente era che la scadenza vaticinata corrispondesse più o meno alla proiezione della sua morte per raggiunti limiti di età, il che colorava la divinazione materna di un'incantevole sfumatura egolatrica, o antimessianica: una specie di parusia al contrario.

Sua madre era una donna bisbetica, ipercritica, capace di formulare i suoi assunti sulla malignità dell'universo tramite il maggior numero di stereotipi espressi nel minor numero di parole:

Dove finiremo.
Siamo alla frutta.

Non se ne può più.
È la fine.
Siano circondati da pazzi.
e decine di altri, in seguito sussunti, appunto, nel folgo-
rante:
Che mondo.

Davide non ricordava di aver mai utilizzato la sua espressione più tipica, ma quel giorno, in ufficio, seduto con la
testa tra le mani, dopo quarantotto ore in cui aveva assistito a un'aggressione ai danni di moglie e figlio, e subìto un
velato invito a risolvere una disputa di vicinato in un duello a colpi di cavatappi, accarezzò l'idea di riesumarla.

È questo il mondo in cui viviamo, pensò amaramente.
Quello in cui un penoso avvitamento nella seduzione può
essere risolto solo dall'intervento di un energumeno, che
riduce alla ragione il molestatore per mezzo di un coltello
e di un discorsetto di commendevole incisività. Quello in
cui un vicino di casa proferisce un'obliqua minaccia gio-
cando di sponda su un allucinante episodio di anni prima.
Già: cos'erano, le sue parole, se non una minaccia? Non
era certo plausibile che Lenci volesse solo un parere spe-
cialistico sui deficit neurologici addotti dal suo avvocato,
né che avesse imbastito l'aneddoto per vivacizzare il finale
di una conversazione poco appassionante. Tale era il livello della situazione: il Labyrinth sparava musica a un volu-
me insensato per quattro notti alla settimana; dai successivi controlli era emersa l'irregolarità dei permessi rilasciati
dai funzionari dell'Ufficio agibilità, che al momento bar-
collavano tra il sospetto d'imperizia e quello di corruzione; e per finire, il presunto corruttore, tornato a Lucca per
inaugurare quell'elegante lounge bar munito di giardino
e graziosa fontanella sormontata da soave oreade danzan-
te, aveva persino la spudoratezza di intimidirlo riferendo
le sue inquietanti vicende con la svagata spigliatezza di chi
ti racconta dei suoi imprevisti doganali all'imbarco per le
vacanze.

Pazzesco.

Che avesse davvero ragione sua madre?

In quel momento ripensò a un altro episodio, accaduto tre anni prima, mentre tornava a casa a mezzanotte dopo una cena con amici del tennis. Era al volante della Volvo V40 che aveva allora, fermo a un semaforo di viale Luporini: si era attardato a rispondere a un messaggio di Barbara e non si era accorto del verde. L'auto dietro la sua gli aveva recapitato un lungo colpo di clacson, insolitamente severo rispetto ai brevi rimproveri che in genere punteggiano il tappeto sonoro di un incrocio. Davide aveva alzato la mano in segno di scusa ed era ripartito in fretta.

L'auto lo aveva seguito a breve distanza, e dopo qualche secondo aveva cominciato a lampeggiare.

Davide aveva guardato il retrovisore: era qualcuno che conosceva? Aveva cercato di capire chi fosse attraverso il lunotto, ma era troppo buio. Quindi aveva provato a identificare il modello di auto nello specchietto laterale.

Era una station wagon scura: una vecchia Focus, quasi certamente. Qualcuno tra i suoi amici o conoscenti aveva un'auto del genere?

Gli sembrava di no.

La Focus continuava a lampeggiare.

Forse quel tipo stava solo cercando di segnalargli una gomma a terra, o una portiera aperta: per un attimo prese in considerazione l'idea di fermarsi, ma poi rammentò che le Volvo erano auto eloquenti e collaborative: c'erano dozzine di spie sul cruscotto pronte ad avvisarlo d'intoppi o dimenticanze.

Cominciò a preoccuparsi.

Chi era quell'uomo?

In quel momento la Focus rallentò, sospendendo il febbrile Morse di abbaglianti. Immediatamente dopo riprese velocità, puntando sul retro della Volvo come se volesse tamponarlo, per poi frenare appena prima della collisione.

Davide vide il lampo dei suoi stessi occhi sbarrati nel retrovisore.

La Focus rallentò di nuovo e ripeté l'operazione.

Tre, quattro, cinque volte.

Davide represse la tentazione di accelerare, perché l'ultima cosa che voleva era invitare lo sconosciuto a un inseguimento metropolitano. Tentò una strategia controintuitiva: rallentò l'andatura e accostò lentamente a destra, senza fermarsi del tutto. Si augurava che l'uomo interpretasse la manovra come una forma di sottomissione, l'equivalente di un cane che mostra la gola all'esemplare dominante: sperava che l'espediente non suggerisse allo sconosciuto di sorpassarlo e mettersi di traverso per costringerlo a fermarsi.

No, pensò. Lo avrebbe già fatto. Mi avrebbe già bloccato, se avesse voluto.

L'uomo rispose alla manovra uniformando la sua velocità a quella della Volvo. A quel punto procedevano a meno di quaranta, in fila come penitenti di una processione. Una terza auto sorpassò entrambe con una poderosa accelerata, talmente inattesa che sembrava sbucata da una breccia spazio-temporale spalancatasi a pochi metri dalle mura lucchesi.

Era una Mercedes. Davide la guardò sparire lungo il rettilineo, con tutto il suo confortante substrato di normalità: per un attimo si sentì come il naufrago, aggrappato all'ondivaga zattera di fortuna, che fissa il piccolo aereo ignaro sopra la sua testa. La salvezza era lì, ma si allontanava a gran velocità.

A un tratto il suo torturatore imitò la Mercedes, superandolo – uno scatto così fulmineo che Davide ne percepì le conseguenze solo quando l'auto si posizionò davanti alla sua. Era proprio una vecchia Focus: riuscì a leggerne distintamente la targa (AT 802 VM: dubitava che l'avrebbe mai dimenticata). Sentì fiorire in petto il sollievo, subito rintuzzato dall'attimo fatale in cui lo sconosciuto rallentò di nuovo.

Il supplizio era tutt'altro che finito.

A quel punto era chiaro che l'uomo lo stava punendo per essersi attardato al semaforo. Chissà, magari la sua furia era esplosa alla fine di una brutta giornata, o di una settimana ancora peggiore, o forse era solo il culmine di centinaia di inconvenienti imputabili alla nuova generazione di dementi telefonici metropolitani: gli odiosi nevrotici da cellulare che guidavano a venticinque all'ora, sbandavano vistosamente o si addormentavano agli incroci.

Proprio come lui.

Sentì nascere un assurdo impulso di solidarietà, appena sopraffatto da una nuova ondata di angoscia.

Si domandò che fare. Potendo avrebbe chiesto scusa, ma fermarsi era fuori questione. Per un attimo accarezzò l'idea di umiliarsi chiamando la polizia. Ma per denunciare cosa? *Mi chiamo Davide Ricci, neurologo a Campo di Marte. Sono preoccupato perché un tizio procede davanti a me. Come? No, no. Guida abbondantemente entro i limiti di velocità.*

Poi, all'improvviso, a sorprendente conferma delle teorie sul pensiero come avanguardia spirituale della materia, vide spuntare all'orizzonte i lampeggianti di una pattuglia.

C'erano due macchine ferme su una semicurva, a meno di un chilometro dalla sua.

Pochi secondi, e si ritrovò sul teatro di un incidente. Uno scooter riverso sulla carreggiata accanto a una vecchia Corolla; a sinistra, la Giulietta dei carabinieri.

La Focus oltrepassò l'incidente e si dileguò nella notte. Davide la guardò allontanarsi, poi si fermò dietro la pattuglia e scese dall'auto.

C'era un ragazzo seduto sul ciglio della strada, con i gomiti attaccati al busto e gli avambracci tesi: sembrava un cristiano evangelico in attesa dell'infusione battesimale sulla riva spumosa di un torrente. Una coppia di uomini, forse gli occupanti della Corolla, parlottava poco lontano.

Davide si avvicinò. Un giovane agente lo squadrò, sospettoso. Lui si qualificò come medico e disse che voleva dare un'occhiata al ragazzo.

Si sedette accanto a lui. Gli rivolse le domande di rito, in una ricognizione approssimativa dei danni cerebrali.

Il giovane sembrava avere quindici anni o poco più. Era lucido e tranquillo. Le abrasioni su mani e braccia erano di poco conto.

Davide attese con lui l'arrivo dell'ambulanza. Cinque minuti dopo diede istruzioni ai volontari della Croce Rossa e ripartì verso casa. Sulla strada non incontrò nessuno.

Ogni tanto, nel corso degli anni successivi, si era chiesto cos'avrebbe fatto, se non avesse incontrato l'incidente. Quasi certamente lo sconosciuto lo avrebbe seviziato ancora un po', prima di proseguire per la sua strada, ma c'era una minuscola probabilità che gli eventi precipitassero.

Cosa sarebbe successo se l'avesse costretto a scendere dall'auto?

Davide avrebbe cercato di farlo ragionare, certo.

Ma se non fosse bastato? Se l'uomo avesse rifiutato l'offerta di una pacifica elaborazione della sua ostilità all'imperante tecnoidiozia?

Gli avrebbe offerto dei soldi? Lo avrebbe implorato di non fargli del male? Si sarebbe inginocchiato? Gli avrebbe parlato del figlio tredicenne, di sua moglie, dei suoi anziani genitori?

E se non fosse servito a nulla? Se quell'uomo avesse cominciato a insultarlo?

Se avesse cominciato a... *picchiarlo*?

Avrebbe reagito?

No.

No.

Davide era geneticamente inabile alla violenza.

Gli ripugnava.

La sola idea di fare del male a un altro essere umano lo paralizzava. Quanto all'ipotesi opposta, ossia che qualcuno ne facesse a lui, be', era altrettanto inconcepibile.

Questo faceva di lui un vigliacco?

Sì, pensò.

Era un vigliacco.

Aveva lasciato che il suo vicino lo minacciasse senza dire una parola. Aveva permesso che sua moglie e suo figlio fossero infastiditi da un ubriaco.

E c'era persino di peggio.

Tommaso lo aveva visto.

Ormai ne era certo. Lo aveva visto immobile e terrorizzato mentre uno sconosciuto allungava le mani su sua madre.

Non poteva negarlo.

Era un vigliacco.

8

Un'ora più tardi Lucio bussò alla porta.

Davide era seduto alla scrivania e lavorava a un articolo commissionatogli da «Neurological Sciences». Lucio lo guardò, un po' accigliato, tenendo le dita sulla maniglia.

«Di là c'è un ragazzo che mi ha appena mandato a fare in culo» disse.

Davide scrollò le spalle.

«Può darsi che abbia inconsapevolmente captato un desiderio comune» disse.

Lucio fece un sorrisetto.

«Ha detto che vorrebbe vederti. Bestemmia a mezza bocca e ha dei tic abbastanza inquietanti. C'è un signore con lui. Immagino sia il padre. Forse ha preso qualcosa di strano. Il figlio, intendo, non il padre».

«Come si chiama?».

«Non me l'ha detto».

«E ha chiesto di vedermi».

«Sì. È vestito come un rapper californiano e ha un piercing al naso: di quelli ad anello, che spuntano dalle narici e sembrano due caccole simmetriche. L'uomo invece è bassino, pelato, in giacca e cravatta».

« È senz'altro Victor. Uno studente di liceo che ho in cura da un po' ».

« Quanti anni ha? ».

« Quasi diciotto, ormai. È una specie di genio ».

« Cos'ha? Ossessivo-compulsivo? Deficit di attenzione? ».

« No. Tourette ».

Lucio alzò un sopracciglio.

« Un tourettico puro, intendi? ».

« Esatto. Senza comorbilità ».

« Cavolo. Non ne avevo mai visto uno ».

« Nemmeno io, prima dell'anno scorso. Victor ha un canale YouTube in inglese che si chiama "VictorOnTour": secondo Tommaso, è uno dei portali di scienza divulgativa più seguiti d'Europa. Sbrigati a toglierlo dalla corsia. Non vorrei che lo sentisse qualche timorato di Dio in riabilitazione e gli venisse un altro colpo ».

« Posso assistere? ».

« Se fai il bravo » chiosò Davide.

Guardò la porta chiudersi e benedisse in silenzio quella visita inattesa: Victor gli avrebbe sollevato l'umore. Due minuti dopo la porta si aprì di nuovo e Lucio introdusse un ragazzo biondo con gli occhialini. Dietro di lui un signore elegante, poco più che quarantenne. A Davide ricordava sempre il preside del liceo di Michael J. Fox in *Ritorno al futuro*: stessa pelata, stessa postura marziale, stesso piglio nevrotico.

« Dottore! » gridò il ragazzo aprendo le braccia. Davide si lasciò avvolgere in una breve stretta appassionata, da cui si divincolò poco dopo con il pretesto di stringere la mano al padre. L'uomo rispose con una presa vigorosa e prolungata. Aveva il cappellino del figlio nella mano sinistra e il solito ceffo da fustigatore di debosce liceali.

« Accomodatevi » disse Davide. L'uomo si sedette sulla poltroncina di velluto. Victor si sistemò sulla scrivania di Martinelli, perpendicolare a quella di Davide, con le gambe penzoloni. Davide tornò a sedersi e fece cenno a Lucio di accomodarsi accanto a lui.

« Allora? Come stai, Victor? ».

« Come sto? Bene, direi. Caaazzo se sto bene dottore. La mia pagina ha duecentomila fedeli, e le mutandine si bagnano a ogni mia apparizione ».

« Victor » lo ammonì suo padre.

« Scusa, pa' » disse lui, guardandosi le scarpe con aria contrita. Poi si produsse in una specie di danza sollevando alternativamente le spalle, come a scacciare una zanzara dalle orecchie.

« Ci perdoni se siamo piombati da lei senza telefonare, » disse l'uomo « ma eravamo qui in ospedale per fare visita a un parente e Victor ha insistito per salire a chiederle un paio di cose ».

« Eccomi qua » disse Davide.

« Allora, Victor, che volevi chiedere al dottor Ricci? ».

Lui flesse lateralmente la testa.

« Cosa volevo chiedergli, pa'? » disse. « In tutta onestà non me lo ricordo. La vita è un tale flusso d'informazioni, la maggior parte delle quali di utilità molto relativa. Sapevate che Wolfgang Pauli, premio Nobel per la fisica, collaborò con Jung alla teoria della sincronicità? ».

E qui guardò Lucio, annuendo con convinzione.

« Pauli era bipolare » proseguì « e si era rivolto a Jung per trovare rimedio alla crisi che lo aveva colpito dopo la fine del matrimonio. Aveva una mente geniale, ma si era innamorato di una ballerina. Il che, secondo la logica scolastica, sarebbe una *contradictio in adiecto*: se hai una mente sopraffina non sposi una ballerina – ecco che affiora la mia vena da rimatore. Ballerina equivale a mignotta? No, no, no. Teniamoci alla larga dai pregiudizi più beceri, amici miei ».

« Molto interessante, Victor, » disse suo padre « ma ti ricordo che stiamo usufruendo del tempo altrui ».

« È vero » ammise lui, schiarendosi enfaticamente la gola.

« Dunque, dottore, temo di doverle comunicare che la Psicoterapia Cognitivo Comportamentale ha fallito. La riduzione dei tic? Chimera. Il dominio sulla coprolalia? Illusione. Che altro potrei tentare? Lo Habit Reversal Training? Ma poi, perché lo chiamiamo così? Non potremmo trovare un corrispettivo italiano? Non sarebbe doveroso aborrire l'ovina pronazione collettiva all'imperio culturale anglosassone? Da quale pulpito, io che mi chiamo Vittorio. E va bene. Anglofilia sia, se l'alternativa è allopatica. Non voglio imbottirmi di clonazepam per tenere a bada i demoni».

«Non credo sia necessario aumentare il dosaggio dei farmaci, Victor» disse Davide.

«Sicuro?».

«Sicurissimo».

«Cazzo. Non sa che buona notizia sia questa, dottore. Anche perché ho il sospetto che il clonaz mi pregiudichi la vascolarizzazione dei corpi cavernosi. A che serve intridere di umori le mutandine muliebri se il pisello non funziona? Non è con le vittorie morali che si arricchisce un albo d'oro».

Suo padre si posò una mano sulla fronte.

«Senti cosa faremo» disse Davide. «Conosco una dottoressa che si occupa di PCC: qualche tempo fa mi parlava di un protocollo recente che sta dando ottimi risultati. Più tardi la chiamo e vediamo che mi dice. Ti piace l'idea?».

Victor allargò le braccia.

«Perdio. Lo faccia e ascenderà al pantheon dei miei paladini: l'improvvido Nikola Tesla, l'impavido John von Neumann, e Ron Jeremy, l'impalatore. Le interessa far parte della sacra trinità, dottore? A quel punto non sarebbe più una trinità, ovviamente, ma in qualche modo provvederemo».

«M'interessa moltissimo, Victor».

«Non sia compiacente con me, dottore. Non ce n'è bisogno».

«Certo che no».

Victor si posò l'indice sulla tempia.

«Il problema è qui dentro,» disse «non possiamo negarlo. Ma non dobbiamo nemmeno perdere la speranza di ripristinare rapporti ottimali tra materia bianca e materia grigia. Voglio sappiate che ho ancora fede in una terapia che ristabilisca proporzioni accettabili tra i miei possedimenti intracranici, signori. In fondo non è la vita stessa una questione di giuste proporzioni?».

Davide trascorse il resto della mattinata finendo l'articolo. Il tema era l'ormai famigerata correlazione statistica tra sport professionistico e sclerosi laterale amiotrofica. Uno studio francese aveva elencato i possibili motivi per cui l'incidenza della SLA sui calciatori italiani era quattro volte superiore rispetto alla media di quelli europei: l'elenco includeva l'eccesso di sostanze chimiche nei fertilizzanti dell'erba degli stadi, la contaminazione dell'acqua da irrigazione, la radioattività degli impianti, e ovviamente il doping.

Davide smentì le prime tre ipotesi in meno di due pagine: i fertilizzanti chimici usati negli stadi italiani non avevano nulla di diverso da quelli stoccati negli impianti di tutta Europa; il novanta per cento delle ditte di manutenzione si approvvigionava da acquedotti locali controllati quotidianamente dalle apposite agenzie regionali; quanto alla teoria della radioattività, era così improponibile che si trattenne a stento dal sovradosare il sarcasmo.

Restava il doping. Si alzò dalla sedia e si avvicinò alla finestra. Nulla di meglio dei tetti della città per ravvivare le risorse retoriche.

Abbassò gli occhi sul parcheggio.

Davanti alla sua auto, i musi quasi a contatto, c'era la Hummer H3 del dottor Martinelli. Era ancora in moto, con le luci di posizione accese e la coppia di doppie marmitte leggermente vibranti nella calura del primo pomeriggio.

Davide guardò l'orologio a muro: il suo turno era finito da cinque minuti. Tornò alla scrivania, rilesse l'ultima frase e salvò il file.

Si diresse allo spogliatoio e un quarto d'ora dopo timbrò il cartellino.

Uscì dall'ospedale e s'incamminò verso la sua auto.

A un centinaio di metri dal parcheggio notò che la Hummer era ancora accesa. Il lunotto posteriore era oscurato, e la sagoma al posto di guida appena intuibile.

Forse Martinelli stava chiamando qualcuno e preferiva conversare al fresco dell'aria condizionata, pensò Davide.

Un cenno di saluto era doveroso.

Si avvicinò alla portiera e vide il profilo del suo superiore: immobile, senza telefono né auricolari. Probabilmente stava utilizzando il vivavoce dall'impianto stereo: ipotesi che avrebbe ulteriormente giustificato il motore acceso. Davide alzò la mano.

Prima o poi si accorgerà di me, si disse.

Si bloccò con il braccio a mezz'aria.

Martinelli fissava qualcosa al centro del cruscotto, senza sbattere le palpebre.

Un rivolo di saliva gli colava dalla bocca semiaperta.

«Ma che cavolo» disse Davide, ad alta voce.

Il pensiero affiorò alla coscienza con la rapidità di un fotone.

No. Non è possibile.

Si avvicinò di un passo.

Tenne gli occhi fissi sul profilo dell'uomo per almeno dieci secondi.

Spalancò la bocca.

Era morto.

Non c'erano dubbi.

Quello che stava fissando era il cadavere del dottor Martinelli.

Il filo di saliva oscillava leggermente al flusso dell'aria condizionata.

Morto.

Il suo vecchio mentore. Il professore che vent'anni prima indossava maglioni rutilanti per dimostrare *in vitro* il potere dell'apprendimento sinestetico. La chioccia che lo aveva preso sotto la sua ala e spedito per due mesi a San Diego, sotto le piume ancor più maestose di Vilayanur Ramachandran. Lo scienziato che aveva contribuito a fondare – insieme a suo padre – l'IMT Alti Studi, orgoglio accademico di Lucca. Il primario munifico e autorevole. Il diagnosta infallibile. La mano che eseguiva prodigi di neurochirurgia. Il seduttore seriale di colleghe e infermiere. Il despota che negli ultimi tre mesi aveva messo in dubbio le sue competenze, lo aveva ripreso in pubblico e sottoposto a turni cervellotici.

Era morto.

La sua vita era giunta all'atto conclusivo sul sedile di pelle di una mostruosità ecocida.

Il suo compasso aveva completato il cerchio. Lo spiraglio si era richiuso. La connessione interrotta.

I ricordi, le competenze, i sentimenti, le gioie e i tormenti dei suoi settantadue anni si stavano rapidamente criogenizzando nell'*algor mortis* delle membra.

Davide non aveva mai immaginato che sarebbe successo così.

Che buona parte dei suoi guai sarebbe finita così.

Che mondo, si disse.

Che razza di diabolico, sorprendente, benedetto mondo.

9

Più o meno in quel momento, Tommaso era in coda all'ingresso dell'arena del Visarno: con lui c'erano Anna, Matteo, Francesca, Marco e Giorgio. Anna aveva appena tirato fuori da uno zaino i biglietti del Firenze Rocks.

Gli porse l'ultimo.

AERO-VEDERCI BABY, lesse Tommaso. Dal vecchio ippodromo oltre la recinzione saliva la voce di un cantautore irlandese ignoto a tutti. Più tardi sarebbe toccato ai Deaf Havana, e alle sette ai Placebo. Degli Aerosmith, Tommaso aveva un'idea approssimativa. Quanto alla parola «Placebo», doveva averla sentita solo dalla voce di suo padre durante le prove domestiche delle conferenze internazionali sulla farmacologia inerte. I Deaf Havana non aveva proprio idea di chi fossero.

«Il nostro ingresso è il rosso?» domandò Matteo.

«No» rispose Anna. Dall'orecchio sinistro le dondolava una sottile catenina il cui pendente, a prima vista una specie di rozzo cuore di plastica, era in realtà un plettro Fender heavy nero da basso elettrico. «Il colore del biglietto non c'entra nulla con quello dell'ingresso. Il nostro è il verde».

«Allora eccolo lì» disse Marco.

Centinaia di pellegrini vagavano per il parco delle Cascine, che circondava il vecchio ippodromo. Ogni duecento metri c'era un capannello di tre o quattro poliziotti. Marco e Giorgio si tolsero gli zaini e si preprararono a mostrarne il contenuto agli addetti alla sicurezza. Uno di loro, un uomo di colore enorme, aveva in mano un metal detector.

La fila procedeva a rilento. Francesca si era staccata dalla coda per gettare qualcosa in un piccolo cesto della spazzatura appeso a un palo. Fissava Tommaso.

Le sue mani, in particolare.

Tommaso se ne accorse e abbassò gli occhi. Nella sinistra aveva il biglietto; nella destra, una bottiglia d'acqua da mezzo litro.

Francesca gli fece segno di svitare il tappo e gettarlo nel cestino. Dalla mano le pendeva una bottiglia identica.

Lui la guardò, senza capire.

Lei gli fece segno di avvicinarsi, leggermente spazientita.

Tommaso obbedì.

«Il tappo» gli disse appena a tiro. Poi puntò l'indice sul cestino. «Gettalo» intimò.

Tommaso eseguì senza discutere. Poi pensò che da quando conosceva Francesca – dalla sera del compleanno di suo fratello Marco, quattro mesi prima – quello scambio rappresentava la conversazione più articolata che avessero avuto.

Avrebbe voluto ringraziarla per l'imbeccata, ma non aveva idea del senso di quella procedura. In fondo era il suo primo grande concerto: quasi imbarazzante da dire, ma non aveva mai partecipato a un solo evento del famosissimo Summer Festival lucchese (lacuna che avrebbe colmato di lì a poche settimane: sua madre aveva già comprato i biglietti per i Pet Shop Boys); fino a quel momento aveva religiosamente assistito ai live dei suoi cantanti preferiti su YouTube (testimonianze sfocate di masse ondeggianti intercettate dai cellulari di qualche martire a braccia alzate) e si era imbattuto nei malinconici revival di artisti in disarmo a qualche festa di quartiere. Ma un concerto in mezzo a sessantamila persone, be', era tutt'altra faccenda.

Marco e Giorgio superarono il tornello e si sistemarono gli zaini sulle spalle. Matteo si era allontanato dalla fila per rispondere a una telefonata – a un certo punto aveva alzato il cellulare verso l'arena, come se volesse provare a qualcuno di essere davvero al Firenze Rocks –, mentre Francesca era appena giunta nei pressi degli addetti alla sicurezza.

L'uomo le passò il metal detector sulla parte anteriore delle gambe, sul ventre e sul petto. Ripeté la stessa operazione sulla parte posteriore del corpo (con qualche esitazione di troppo, pensò Tommaso), finché le diede il benestare con un cenno della mano libera.

Tommaso s'infilò il biglietto sotto l'ascella e si tolse lo zaino dalla spalla sinistra.

Era quasi il suo turno.

Se non penso al diavolo, si disse, il diavolo non apparirà.

Mezz'ora dopo erano seduti in semicerchio a metà della gigantesca arena. Attorno a loro si alzava il brusio di migliaia di persone accampate sotto il sole come superstiti di un terremoto o di un'eruzione. Appena entrati, Anna li aveva guidati lungo il limite esterno della porzione di folla che all'apertura dei cancelli, poco dopo mezzogiorno, si era rapidamente addossata al mastodontico palco: un muro umano nel quale ipotizzare di insinuarsi sarebbe stato velleitario per chiunque non fosse solo e molto combattivo. Avevano cabotato lungo il confine per almeno dieci minuti, cercando senza successo il minimo varco, poi erano tornati mestamente indietro per sistemarsi davanti all'enorme schermo centrale: il che significava ammettere di essersi sciroppati ottanta chilometri per assistere a un'esibizione trasmessa in TV.

Tommaso si ritrovò seduto tra Anna e Francesca. Anna

era un po' sovrappeso, e dai pantaloncini le debordava u-
no strato roseo di pancia. Francesca si stava raccogliendo i
lunghi capelli in una coda: tra le labbra reggeva un elastico verde fluo. Sembrava di umore stonato. Poco prima,
quando Anna le aveva chiesto cosa avesse, aveva risposto di
essere in piena SPM. Tommaso aveva fissato entrambe,
dubbioso. Il suo sguardo era scivolato oltre la testa reclinata di Francesca, mettendo a fuoco il placido oceano di persone che ondeggiava nell'ippodromo.

I Deaf Havana stavano per salire sul palco.

«L'altro giorno ho letto una cosa divertente su Steven
Tyler e Richie Sambora» disse Marco.

«Chi è Richie Sambora?» chiese Giorgio.

«L'ex chitarrista dei Bon Jovi» spiegò Anna. Accanto a lei
una coppietta pescava sushi da una confezione di cartone.

«In pratica,» continuò Marco «a Richie capita di im-
bucarsi a un'orgia organizzata da un produttore disco-
grafico nella sua villa di Beverly Hills. Arriva che sono tutti già nudi e passa qualche secondo a guardarsi intorno,
un po' in imbarazzo. Non sa come comportarsi: è agli ini-
zi della carriera e non è per niente pratico di sesso di
gruppo».

Ogni volta che guardava Marco Callipo, Tommaso immaginava una nuvola di brutalità sospesa sulla sua testa.
Un paio d'inverni prima era stato coinvolto nel pestaggio
di tre studenti dell'Industriale per una vecchia storia di rivalità tra istituti: con una mezza dozzina di compagni aveva
circondato i malcapitati vicino alla sortita di San Martino e
li aveva spediti al pronto soccorso.

«Alla fine,» disse Marco «Richie decide di cominciare a
mettersi in libertà: si toglie le scarpe, la giacca e la camicia.
Sta per abbassarsi i pantaloni quando nota Steven Tyler
accanto al divano: è in piedi, completamente nudo e circondato da quattro ragazze inginocchiate».

«Al momento mi sfugge pure chi sia Steven Tyler» disse
ancora Giorgio.

81

«È il cantante degli Aerosmith, accidenti a te» rispose Matteo. «Il gruppo che siamo venuti a sentire».

Marco si era limitato a inseguire l'unico dei ragazzi che avesse rotto l'accerchiamento, intercettandolo sul prato oltre le mura con un balzo poderoso da tallonatore: poi, senza colpirlo o insultarlo, aveva atteso che arrivassero i suoi compagni di classe e aveva consegnato il malcapitato alla loro truce rabbia silenziosa. Ma era evidente a tutti che subiva ancora le conseguenze di quella complicata vicenda: i postumi dell'aggressività svogliata e senza costrutto di un ragazzo altrimenti intelligente, che studiava teatro e pianoforte e aveva un rispetto quasi sacrale del proprio corpo (si allenava tutti i giorni nel parco di casa secondo uno schema apocrifo di *boot camp* e arti marziali).

«Sappiamo tutti» stava dicendo Marco «che in uno spogliatoio maschile è assolutamente inopportuno concedersi più di una fulminea sbirciatina ai cazzi altrui; ma un'orgia è una faccenda diversa, e Richie immagina di poter guardare l'uccello di chiunque in santa pace».

«Per me il problema non si pone,» intervenne Giorgio «la doccia la faccio sempre a casa».

Matteo gli diede un pugno sulla spalla.

«Piantala di interrompere, frocetto».

Francesca prese un sorso dalla bottiglietta priva di tappo. Sul palco un tecnico del suono sembrava avere qualche problema con il setting del basso.

«E insomma,» concluse Marco «Richie si pente all'istante della sua curiosità quando si rende conto che ognuna delle ragazze ha una mano sul cazzo di Steven, e che le loro dita *non si sovrappongono nemmeno*. A quel punto si riabbottona i pantaloni, si riveste e termina la prima orgia della sua vita con un'indecorosa ritirata».

«Non sono sicuro di aver capito» disse Giorgio.

«Il solito problema di competitività maschile» gli spiegò Anna. «Io però non ci credo. Nessuno ce l'ha così lungo».

«Il parere dell'esperta» la canzonò Matteo.

Sullo schermo una seconda persona si era aggiunta alla prima. Qualcuno dietro di loro disse che era il bassista dei Deaf Havana.

A quel punto tutti i maschi, tranne Tommaso, avevano indossato i cappellini per ripararsi dal sole. Anna si era sistemata meglio la bandana. Francesca aveva preso dalla borsa un cappello di paglia e ci si sventolava il viso, l'incavo della gola lucido di sudore. A due passi da lei un bimbo aveva posato la testa sulle spalle di suo padre, studiando le due ragazze con il grato languore dei cuccioli insonnoliti. Costringere un bambino così piccolo ad assistere a un concerto rock si sarebbe detta una crudeltà imperdonabile. Tommaso guardò Francesca sorridere e scoccargli un bacino silenzioso, apparente epitaffio al suo malumore.

In quel momento i Deaf Havana salirono sul palco. La folla li acclamò senza troppo entusiasmo.

Partì un riff di chitarra che tutti, nel gruppo, riconobbero subito. Anna emise un gridolino di gioia: era *Sing*, la suoneria del suo cellulare. Il batterista si accodò alla chitarra e un attimo dopo il bassista si unì all'abbrivio.

Matteo e Giorgio stavano già dimenando le braccia.

Il cantante afferrò il microfono.

Francesca era tre o quattro passi oltre Tommaso e guardava lo schermo, senza dare mostra di condividere l'esaltazione collettiva.

Lui le studiò le spalle nude. Poi scese con gli occhi fino alla schiena. Cercava di ricordare quale fosse il nome scientifico delle depressioni asimmetriche tra i lombi e le natiche evidenziate dai pantaloni a vita bassa, definizione sulla quale rimuginò pur di non ammettere a se stesso che le stava guardando il sedere.

Oltrepassò il bordo dei suoi pantaloncini corti verde militare e scese fino alle Vans color crema. Poi risalì fino alla tenera cavità dietro il ginocchio sinistro, ai piccoli muscoli lucidi e guizzanti tra coscia e polpaccio.

Pensò a che effetto avrebbe fatto toccarla lì.

A un tratto Francesca si girò come se qualcuno l'avesse toccata davvero.

Lo fissò, senza espressione.

Schiuse le labbra, forse preparandosi a dirgli qualcosa. Tommaso aprì la bocca a sua volta (un automatismo prodotto dai neuroni specchio della corteccia prefrontale, gli aveva spiegato una volta suo padre) mentre le fissava l'umido solco della gola che brillava al sole.

C'era un piccolo neo, lì.

Non l'aveva mai notato.

In quel momento Giorgio gli diede un colpetto con il gomito e gli si accostò all'orecchio.

«È quello Steven Tyler?».

I Placebo riscossero l'approvazione di tutti.

Lampante matrice post-punk, tecnica di prim'ordine, una dose calibrata di sperimentazione.

Il leader (che si chiamava Brian Molko, gli aveva detto Anna) era dotato di un timbro vocale insolito e di una salda capacità esecutiva.

Ma non era nemmeno lontanamente paragonabile a Steven Tyler.

Il pomeriggio si era lentamente immerso nella sera. Poco dopo le nove, preceduti da un video sfolgorante che sintetizzava la loro carriera sulle note dei *Carmina Burana* di Carl Orff, erano entrati in scena gli Aerosmith.

I sessantamila del Visarno li avevano accolti con un boato apocalittico.

Sollecitato dalle gomitate entusiastiche di Anna, Tommaso si era disposto all'ascolto con estrema attenzione. Dopo due canzoni si era già reso conto che non erano tanto gli Aerosmith a eccitare i suoi sensi, quanto l'impatto ierofantico del loro inverosimile leader.

Il superdotato Steven Tyler.

Vestito come un bucaniere delle Antille.

I capelli cotonati e gli addominali, a sessantanove anni suonati, in sbalorditiva evidenza. Polsi e dita talmente pieni di braccialetti e anelli da sovradimensionargli le mani, l'intento esornativo involontariamente compromesso dalla foga dell'accumulo.

Sessantanove anni. Suo nonno paterno ne aveva altrettanti e sembrava in ottima forma, ma Tommaso non avrebbe scommesso che lo fosse al punto di saltellare su un palco per novanta minuti.

E poi la voce.

La *sua* voce.

Puntine da disegno e petali di rosa.

Prima di quel momento non aveva mai sentito nessuno cantare così, anche se non poteva certo definirsi un esperto di musica: solo in coincidenza con l'inizio del liceo aveva deciso che al suo principale interesse – l'astronomia, che aveva prudentemente omesso di reclamizzare tra i compagni – fosse opportuno affiancare qualcosa di più popolare: l'obiettivo era pervenire in fretta al livello maggiore possibile d'integrazione. Quindi aveva indagato, interpellato, origliato e consultato ogni fonte concepibile (tra cui una pagina del sito di «Vanity Fair», *10 teen idols da conoscere per non essere out*, che alla prova dei fatti si era dimostrata clamorosamente inattendibile: quasi tutti gli artisti definiti dal sito come ASSOLUTAMENTE IMPRESCINDIBILI, da Justin Bieber a Selena Gomez, dai 5 Seconds of Summer a Zayn Malik degli OneDirection agli stessi OneDirection dezaynnizzati, si erano infatti rivelati, durante una serie di circospetti sondaggi, ASSOLUTAMENTE ESECRATI dalla maggioranza dei suoi compagni). Alla fine si era procurato gli ultimi lavori di Travis Scott, Drake, MadMan, Kendrick Lamar, alfieri di un pop vagamente monocorde che scoprì perfettamente funzionale alle contemplazioni serali di Ganimede o Europa con il suo nuovo telescopio Celestron NexStar 127 SLT, dono dei nonni paterni per l'esito trionfale del primo anno di liceo.

Scott e Drake erano piacevolmente innocui; gli Aerosmith, be', erano tutt'altra questione.

ASSOLUTAMENTE TRAVOLGENTI.

Suo padre gli aveva detto che Steven soffriva di amnesie e altri disturbi neurologici causati dall'abuso di alcol e droghe. Gli raccontò il celeberrimo episodio della gita in macchina, quando Tyler e un paio di membri del gruppo erano a zonzo per Los Angeles e a un tratto la radio aveva mandato una vecchia canzone. Steven l'aveva ascoltata, assorto e incuriosito, poi si era girato verso il chitarrista e gli aveva proposto di farne una cover: il pezzo, aveva detto, non era affatto male! La risposta di Joe Perry è scolpita negli annali dell'aneddotica rock: « Questi siamo noi, idiota! ».

Nelle settimane successive, Tommaso si chiese se fosse stata proprio quella storia che lo aveva convinto ad abbandonare pro tempore – pro limitatissimo tempore – le melodie a 50 bpm dei suoi feticci musicali per andare a controllare di persona in che condizioni fosse un individuo che aveva abusato per una vita di sostanze psicotrope.

Lui non aveva mai abusato di nulla in vita sua, ma qualche mese prima era inciampato in un penoso episodio.

Il primo lunedì di febbraio Marco Callipo lo aveva incluso, un po' a sorpresa, tra gli invitati alla sua festa di compleanno. Quindi il sabato successivo, ancora lievemente incredulo, Tommaso si era presentato alla villa certo di doversi sciroppare una delle tipiche feste giovanili di cui aveva solo letto, sentito o avuto visione in qualche film americano, derivandone sensazioni ambivalenti: goliardia spicciola, alcol senza limiti e innocue sedizioni. E invece, con altrettanto stupore, si era ritrovato in un placido convivio di una quarantina di ragazzi – un terzo dei quali suoi compagni di classe – durante il quale l'anomalia più sbalorditiva, più della tranquilla musica soft house di estrazione ignota, era risultata l'eccezionale qualità del cibo. Tommaso passò buona parte della cena in piedi chiacchierando con Anna, poi studiando con occhio da finto esperto i quadri appesi alle pareti, quindi partecipando con espressione beota al rito collettivo del taglio della torta e dell'apertura dei regali, coartato a dozzine di selfie e foto di gruppo. Ogni tanto osservava con discrezione la bellezza austera dell'ignota fanciulla nel parterre d'invitati. Abbigliamento monacale, gestualità contenuta, poche parole e ancora meno sorrisi. Anna gli disse che era Francesca, la sorella gemella di Marco, sebbene non si somigliassero granché e soprattutto, come constatò Tommaso, nessun segno visibile inducesse a supporre che quella sera i festeggiati fossero due. Anna gli confidò che dopo la separazione dei genitori la ragazza aveva vissuto a Firenze con la madre, ma che a dicembre la donna aveva avuto una crisi di nervi così violenta da suggerirne il ricovero in una clinica privata. Poi lo ammonì di non credere ad alcune voci: che fosse malata anche Francesca, e che suo padre, dopo averla riaccolta con sé, le avesse fornito un istitutore privato dal quale prendeva lezioni nella villa di famiglia.

A poco a poco gli invitati avevano lasciato la festa tributando a Marco gli ultimi onori sotto forma di baci o sonanti *five* a mano aperta. Erano rimasti in sei. Tommaso si chiese se fosse il caso di chiamare suo padre o attendere il congedo definitivo, di cui peraltro ignorava natura e ritualità. Ma a quel punto il festeggiato aveva posato la mano sulla spalla di un ragazzone biondo, unico sconosciuto dei rimasti, qualificandolo come il generoso elargitore del regalo più gradito. Al che il ragazzone aveva tirato fuori qualcosa dalla tasca posteriore dei pantaloni: un sacchetto trasparente, pieno per metà di strane spezie trinciate in modo quantomeno approssimativo.

Tommaso impiegò almeno trenta secondi a capire di cosa si trattava, e i successivi trenta a cercare di reprimere il panico.

Eccola, l'innocua sedizione.

Spese l'intero minuto seguente a razionalizzare. Non era obbligato a fumare erba (o qualunque sostanza ci fosse in quel sacchetto): l'unico problema era uscire dalla situazione con dignità.

Ma un attimo dopo fu aggredito dal pericoloso sospetto che Marco lo avesse invitato alla festa proprio per renderlo partecipe dell'esperienza che lui e gli altri congiurati stavano predisponendo lì, in cerchio sulle seggiole di legno del piccolo fumoir di Villa Callipo, e che la sua inclusione nel gruppo non fosse per niente il frutto accidentale della prolungata esitazione al momento dei saluti: in quel caso uscirne con dignità avrebbe avuto conseguenze socialmente più complesse.

Nel frattempo il ragazzo biondo, che si chiamava Dmitrij ed era di chiare ascendenze sovietiche, aveva già preparato con mano esperta la canna. A quel punto Tommaso, che si era lasciato trascinare nella saletta sull'onda dell'eccitazione collettiva, rallentato nei riflessi dalla sovrapposizione di alternative che la sua mente stava laboriosamente vagliando, decise che per esprimere un cortese rifiuto, chiamare i genitori o darsela a gambe dalla finestra era ormai tardi.

Marco si era sistemato sul divanetto centrale. Dmitrij accese la canna e gliela passò. Marco diede il primo tiro, le gambe incrociate sull'imbottitura di velluto.

«Ottima» commentò.

Poi era toccato a Dmitrij. Aspirò lentamente, trattenne per un po' il fumo e lo soffiò dalle narici, senza rilasciare dichiarazioni.

Quindi toccò a Matteo e Giorgio. Entrambi tirarono con circospezione, tradendo inesperienza.

E lui? si domandò Tommaso. Cosa avrebbe tradito, lui?

Imperizia. Paura. Vergogna.

Quasi non aveva notato che a due passi da lui, seduta per terra in una posa da squaw, c'era Francesca Callipo.

Dove avrebbe dovuto essere? Era pur sempre la figlia del padrone di casa.

Il padrone di casa: dov'era, a proposito?

D'un tratto Tommaso si ritrovò a sperare che entrasse all'improvviso nel fumoir, sorprendendoli a galleggiare in un nembo semisolido dall'aroma sospetto, e che la serata si concludesse con i gemelli presi a cinghiate di prezioso coccodrillo mentre il resto dei reprobi si dileguava di corsa da ogni pertugio disponibile.

Francesca, intanto, aveva dato il suo tiro passandogli la canna senza nemmeno guardarlo.

Che doveva fare?

Tutti lo fissavano: eppure nessuno, ne era certo, badava a lui.

Mai nessuno badava veramente a lui.

Chi era lui?

Che cos'era?

L'unica certezza era che non avrebbe ottenuto la risposta dagli effetti dell'oggetto che teneva tra le dita. Cosa stava per succedergli? Prima di ogni esperienza nuova aveva l'abitudine di studiarne gli esiti statisticamente comuni, ma quel punto si disse che era tardi per tirare fuori il cellulare e consultare Wikipedia alla voce « Effetti della cannabis sulla salute ».

Ammesso che fosse cannabis.

Ormai non poteva perdere altro tempo.

Accostò la canna alle labbra, e diede un tiro.

Trattenne per un attimo il fumo, come aveva visto fare agli altri, poi passò a Marco per il secondo giro.

Espirò lentamente, cercando di non tossire.

L'aroma era sgradevole. Di un amaro lancinante. Impossibile trarne un godimento di qualunque tipo.

Chiuse gli occhi.

Li riaprì.

Tossì leggermente.

Contò fino a dieci. Nessun effetto percepibile. Al sollievo si era aggiunto un pizzico di delusione.

La canna era già arrivata tra le mani di Giorgio, che mugolò a occhi chiusi, in estatica approvazione, prima di passarla a Francesca. La quale alzò una mano, dando a intendere che saltava.

Dunque si poteva rinunciare, e senza nemmeno balbettare una giustificazione.

Toccava di nuovo a lui.

Le seggiole su cui sedevano erano della metà del Settecento, pensò, un po' a vanvera.

Giorgio aveva allungato il braccio verso di lui.

Cosa doveva fare? Rinunciare?

Lanciò un'occhiata a Marco Callipo, un paio di metri alla sua sinistra.

Aveva un'espressione torva e mansueta allo stesso tempo. Ancora una volta, Tommaso finì per immaginarselo mentre braccava un ragazzino trafelato e ansimante per consegnarlo agli istinti animaleschi dei compagni di classe. La nuvola biancastra sopra di lui sembrava ipostatizzare la violenza di cui era capace con l'impeto di una cupa allegoria.

In fondo, si disse Tommaso, è possibile che sopra la testa di ognuno si materializzi l'immagine prodotta dal vapore acqueo di pochi fatti emblematici, addensati dalle correnti delle opinioni altrui: una nube restia a dissolversi, molesta e insinuante come l'odore di disinfettante sugli abiti di suo padre o di bambini problematici che si portava a casa sua madre.

Marco rispose al suo sguardo con un piccolo cenno d'invito.

Tommaso non si sentì di deluderlo.

Stavolta trattenne il fumo nei polmoni qualche secondo in più. Esalò dalle narici, gli occhi fissi sulla lucciola palpitante alla sommità della canna.

Sollevò lo sguardo al quadro sopra lo scrittoio.

Era una riproduzione della quarta e ultima incisione del ciclo sulla crudeltà di William Hogarth, *La ricompensa della crudeltà*. 1751 o giù di lì.

Mentre passava la canna a Marco si chiese come diavolo

facesse a saperlo. Era un'opera relativamente famosa, ma lui di pittura non sapeva quasi nulla. Però nella biblioteca paterna c'erano volumi di arte che ricordava confusamente di aver preso in mano, e forse uno degli effetti collaterali della marijuana era l'accesso a un misterioso archivio mnemonico in cui aveva involontariamente catalogato tendenze architettoniche e correnti pittoriche.

A quel punto si guardò intorno per cercare qualche riscontro ulteriore. Incontrò gli occhi di Francesca.

Lo stava fissando con una strana espressione.

Aveva la canna in mano e tratteneva il respiro.

Sul suo viso gli era parso di leggere una decorosa tristezza.

Soffiò fuori il fumo e gli passò la canna.

Tommaso la prese tra indice e medio, continuando a guardare la ragazza negli occhi.

Capì di non essere in grado di decidere se quel viso fosse bello o no, in realtà. Forse l'aggettivo adatto era «alieno». Visibile, sì, ma lontano e inaccessibile quanto la corona di anelli di Saturno, o i satelliti di Plutone.

Era facile capirlo.

Era facile capire e accogliere tutto, da qualche secondo.

Fece un altro tiro e allungò la canna a Marco, che sorrideva beato.

Era tutto strano, da un po'.

Come se la realtà avesse cominciato a colmare lentamente gli interstizi tra i suoi gangli cerebrali; come se lo scarto tra l'oggettività percepita e quella *reale* si stesse pericolosamente riducendo; come se qualcosa premesse alle frontiere della sua mente, cercando una violenta annessione a un territorio talmente ampio che era impossibile concepirne i confini.

Tentò di distrarsi pensando al libro finito di leggere poche ore prima (un ponderoso trattato sull'espansionismo prebellico della Germania nazista), ma il piccolo mondo attorno a lui era nitido. Troppo.

Troppo reale.

Iperreale.

Sì.

Forse « iperreale » era la parola giusta.

Quindi, in fin dei conti, *irreale*.

« Oh Cristo » si lasciò sfuggire.

« *Christos* » gli fece eco Dmitrij, con gli occhi chiusi.

Tommaso si alzò.

Era fatta.

La realtà si era impossessata di lui.

L'*Anschluss* si era compiuto.

Fece due passi e inciampò nel tavolinetto, finendo lungo disteso sul corpo di Marco. Giorgio e Matteo si fissarono con gli occhi sbarrati: poi si piegarono in avanti, cominciando a ridere senza ritegno. Tommaso si rialzò, cercando di riprendere il controllo. Si mosse verso la porta barcollando.

Non era nausea, la sua. Stava semplicemente difendendosi dalla realtà. La luce smembrata dai cristalli della lumiera era fredda e tridimensionale, sospesa sopra di loro come le faville di un fuoco d'artificio alla fine della spinta inerziale.

Qualcuno dietro di lui disse qualcosa. Tommaso si piegò sulle ginocchia, cadendo a terra.

« Aiutatemi » mormorò.

Chiuse gli occhi. Sentì il freddo del parquet solleticargli il palmo delle mani. Avvertì un tocco leggero sulla schiena.

Si voltò, ansimando.

Dmitrij si era accovacciato alla sua sinistra.

Aveva lo sguardo rilassato, ma lucido.

Accanto a lui, Francesca, con gli occhi talmente aperti da esporre la falce superiore della sclera, lattescente di stupore.

« Va tutto bene » disse il ragazzo, quasi bisbigliando. A bassa voce era praticamente privo di inflessioni.

Per tutta risposta Tommaso boccheggiò. Dmitrij gli posò le mani sui fianchi, aiutandolo a girarsi. Gli studiò con estrema attenzione ogni angolo del viso.

Disse qualcosa nella sua lingua, poi si alzò e si diresse alla finestra. La aprì e per un paio di secondi si godette l'aria gelida. Quindi uscì dalla stanza.

Tommaso strisciò lentamente verso la parete.

Si appoggiò con la schiena al muro, cercando di tenersi in equilibrio sul precario terrapieno di certezze che sentiva franargli sotto i piedi. Guardò i presenti, a uno a uno. Erano diventati ectoplasmi nevosi, in ossequio all'appena smascherata equivalenza tra iperrealtà e irrealtà. Tommaso ricordava i loro nomi, cognomi e tratti caratteriali, ma la materialità dei loro corpi era annichilita dalla violenta concretezza di cui la sua mente alterata aveva investito ogni altro oggetto fisico. In altre parole, aveva appena scoperto che il livello di realtà degli esseri umani era totalmente imparagonabile al livello di realtà di qualunque altra cosa: Francesca, ormai praticamente inginocchiata accanto a lui, era un fantasma, ma i vestiti che indossava erano talmente nitidi da ferirgli gli occhi.

E poi accadde ciò che accadde.

La ragazza, vera o spettrale che fosse, accostò la fronte alla sua e, dopo avergli stretto la testa tra le mani, cominciò a ripetergli con preoccupante ossessività che non doveva avere paura. Teneva le labbra così vicine a quelle di Tommaso che sembrava volergli insufflare conforto; lui si mise a inalare l'odore dolce e acre dalla sua bocca, non sembrandogli illogico che l'antidoto a quell'overdose di realtà fosse l'alito tiepido di un essere irreale. La manovra non contribuì a farlo sentire meglio, o peggio: la ragazza si era ormai seduta sulle sue gambe, le mucose orali talmente prossime che Tommaso pensò di non aver mai sperimentato un contatto così intimo da quando sua madre aveva smesso di allattarlo. Poi, all'improvviso, avvertì la radianza di uno strano calore nella confluenza tra i rispettivi pubi, preceduta da un inopportuno fremito erettile, e il tempo cominciò a rallentare, centimetro dopo centimetro, e lui non si sentiva meno infelice e scombussolato di prima, ma da qualche parte percepiva il crepitio della fiammella di una specie di sollievo. Allacciò le mani dietro la schiena di Francesca per assecondarne le mosse, manovra cui lei reagì stringendogli più forte il viso con le mani odorose di fumo, così forte da fargli quasi male, e ormai le loro facce erano così vicine che le sopracciglia di lei sfioravano le sue. Ma a quel punto era tornato Dmitrij con un bicchiere in una mano e un blister nell'altra, e senza troppi riguardi aveva detto a Francesca di spostarsi, prima di inginocchiarsi per ficcare tra i denti di Tommaso due pillole, aiutandolo a ingoiarle grazie a un sorso di qualcosa che sembrava proprio acqua.

Passarono venti lunghissimi minuti, dopo i quali Tommaso concluse che l'intervento di Dmitrij non aveva facilitato la remissione della sua crisi psicotica di un solo millimetro.

Gli altri lo guardavano tranquilli, immersi nel torpore chimico. La mezz'ora successiva trascorse lenta come una settimana di pioggia a causa della nota dilatazione temporale THC-derivata: una sensazione orrenda, ma che a Tommaso toccò persino rimpiangere a paragone di ciò che accadde dopo.

Poco dopo lo scoccare dell'una, infatti, si rese conto che il tepore avvertito quando Francesca si era messa a cavalcioni su di lui non aveva prerogative strettamente sessuali: se l'era, più prosaicamente, fatta sotto. E il secondo momento davvero duro fu quando si alzò e costrinse i ragazzi, che nel frattempo avevano smaltito gli effetti della canna e lo fissavano perplessi dalle rispettive sedie (a parte Francesca, che aveva trascorso tutto il tempo del suo allucinato stillicidio con il viso tra le mani, e quando si alzò aveva gli occhi rossi), a prendersi per mano e a giurare che nel caso quella crisi non gli fosse passata – nel caso la marijuana avesse compromesso definitivamente la sua capacità di tornare a una visione illusoria, ma rassicurante, della realtà – lo avrebbero rapito dalla clinica in cui i suoi lo avrebbero rinchiuso nell'inutile tentativo di ricondurlo alla ragione e lo avrebbero accompagnato in Svizzera perché si sottoponesse a una catartica e misericordiosa *finis vitae*. E qui Marco Callipo, che pure gli stringeva con trasporto la mano e aveva annuito empaticamente a ogni passaggio, si lasciò scuotere da un accesso di risa talmente convulso che la promessa collettiva di una spedizione eutanasica in terra elvetica diventò molto meno solenne di quanto Tommaso avrebbe desiderato. E il terzo momento davvero complesso fu quando, poco dopo l'una e mezza di notte, i suoi arrivarono alla villa dei Callipo – dato che nessuno dei suoi complici era stato abbastanza lucido da predisporre un piano estemporaneo di contenimento genitoriale – e a Tommaso toccò assistere al rapido rimpiazzo della classica preoccupazione materna da chiamate inevase con un tipo di turbamento inedito (comunque assai modesto, specie dopo che suo padre ebbe ricevuto da Dmitrij ripetute garanzie sulla purezza della marijuana utilizzata). E mentre i coniugi Ricci sbalordivano i presenti non promulgando anatemi proibizionisti né minacciando conseguenze penali a carico di chicchessia, Tommaso (che cominciava a recuperare un minimo di adesione alla supposta realtà, o finta realtà, o finta ma almeno sopportabile realtà) inaugurava un profondo senso di colpa per l'esito disastroso cui la flebile resistenza dei suoi recettori chimici aveva miseramente condotto il gran finale della festa di compleanno di Marco Callipo: e quando i ragazzi si avvicinarono per stringerlo in un abbraccio collettivo, non riuscì a fare molto più che chiedere, quasi piangendo, di essere perdonato.

In macchina, sua madre si accomodò accanto a lui sui sedili posteriori, sussurrandogli parole di sostegno che il cervello di Tommaso si premurò pietosamente di obliterare in tempo reale. Suo padre, che di notte guidava con prudenza indecorosa, tale da rendere quel breve tragitto doppiamente penoso, intervenne solo una volta per rassi-curare entrambi sulla sostanziale innocuità *ex post facto* delle abnormi reazioni paranoidi al delta-9-tetraidrocannabi-nolo. Nell'udire quelle parole, a Tommaso parve che il groppo emotivo incagliatosi tra cuore e gola s'inabissasse lentamente verso lo stomaco (anche se, a dire il vero, non era per niente certo che fosse un groppo esclusivamente emotivo: la sensazione richiamava, semmai, i prodromi delle disastrose ricadute gastriche indotte dall'unico pran-zo di nozze cui avesse mai partecipato, anni prima), tanto che a un tratto scongiurò suo padre di accostare il più in fretta possibile. Erano le prime parole che pronunciava da quando erano saliti in macchina. Le incerte proteste pa-terne («Siamo praticamente a casa») furono immediata-mente revocate dopo un'occhiata al retrovisore: Tomma-so aveva gli occhi sbarrati e le guance a palloncino. Davide accostò e inchiodò appena in tempo per vedere suo figlio spalancare la portiera ed emettere un lungo fiotto di eccel-lente cena in piedi, seguito da un trittico di sussultanti co-nati a cui il ragazzo si consegnò con afflitto stoicismo, mentre sua madre gli reggeva le braccia per evitare che precipitasse dal sedile.

Alle undici del mattino dopo, quando si svegliò, ancora parzialmente ottenebrato dal trauma e dai metaboliti del fumo di marijuana, Tommaso vide con enorme sollievo che la finta realtà era di nuovo tornata al suo posto.

I suoi vestiti erano ordinatamente ripiegati sulla sedia; l'armadio a muro era ben chiuso, la libreria aveva il solito aspetto da codice a barre policromatico, e i poster di Edwin Hubble e Travis Scott, strana endiadi di eroi adolescenzia-li, si fissavano dai muri opposti.

Kociss era acquattato sulla scrivania, immobile come la statuetta di un culto zoolatrico, forse chiedendosi cosa fa-cesse il suo padrone ancora a letto a quell'ora, o magari lodandolo per la pigrizia cui finalmente, dopo quasi sedici anni di proselitismo felino, si era convertito.

Il telescopio era accanto alla finestra, puntato sul doppio ammasso del Perseo.

La realtà e la finta realtà combaciavano di nuovo. Non c'erano dubbi.

Solo che, pensò Tommaso mentre si rizzava a sedere sul letto, la loro rinnovata congiunzione aveva prodotto l'inatteso effetto di concepire una minuscola realtà alternativa, scivolata fuori dalle membra gemelle come il frutto di una complicata partenogenesi.

Era lì.

Venuta al mondo per lui.

Una nuova verità, vibrante e umida come un bambino espulso dal ventre: calda, frignante e in attesa di cure.

Ma lui non aveva idea di come manipolarla. Aveva a malapena il coraggio di guardarla.

No, pensò mentre si nascondeva il viso tra le mani con un sospiro: non aveva la minima idea di cosa opporre alla nuova, terrificante oggettività del fatto che la conseguenza peggiore della sera precedente non fosse il fragoroso ruzzolone lungo l'accidentato pendio della sua intolleranza recettoriale al THC, ma la folle certezza che da quel giorno aveva oltrepassato la soglia di un'ennesima, allucinante realtà: quella in cui si ritrovava socialmente proscritto, familiarmente compatito e, sopra ogni altra cosa, perdutamente innamorato di Francesca Callipo.

10

Davide si avvicinò al finestrino.

Provava un senso feroce di umana pietà, appena offuscato da un imbarazzante sollievo e da un assurdo pizzico di delusione per il brusco fallimento delle virtù apotropaiche dei suoi omicidi mattutini: negli ultimi mesi aveva ucciso il dottor Martinelli almeno una decina di volte.

Abbassò la mano sulla maniglia e aprì la portiera. Gli altoparlanti diffondevano una musica solenne.

Il cadavere sbatté le palpebre.

Davide sobbalzò.

Martinelli girò lentamente la testa verso di lui.

«Dottor Ricci» disse.

Nel muovere le labbra, l'uomo si accorse di avere un filo di saliva pendulo dall'angolo della bocca. Se lo pulì con il dorso della mano.

«Che succede?» domandò a Davide. «Ha una faccia paurosa».

«Davvero?» replicò lui. «Mi scusi. Mi chiedevo solo cosa facesse in macchina».

Lui indicò la radio.

«*L'isola dei morti*» disse. «Rachmaninov. Mi lascia sempre senza fiato».

Si torse all'indietro e recuperò la borsa dal sedile posteriore. Spense la macchina e fece per uscire. Davide si spostò per lasciarlo passare.

«Come procede qui?» chiese Martinelli.

«Tutto tranquillo».

Davide guardò il suo superiore togliersi un invisibile capello dall'impeccabile giacca di lino, avvolto dall'ombra del tiglio al centro esatto del parcheggio.

«È un paio di giorni che non la vediamo in reparto» disse Davide. «Ieri la dottoressa Lelli ha provato a chiamarla. Eravamo preoccupati».

«Ieri?» ripeté Martinelli, socchiudendo gli occhi per atteggiare il viso al richiamo di un ricordo archiviato. «Ah, sì, ero da amici, in campagna. Una mucca era malata, non si capiva cosa avesse. Le ho parlato, e mi ha detto che il problema era una lieve emorragia interna. Le ho dato il Tranex, che avevo casualmente in macchina, e nel giro di un paio d'ore ha recuperato le forze».

Davide lo fissò attentamente.

«Ha parlato con chi? Con la mucca?».

«Certo» rispose Martinelli. «Non con le parole, ovviamente: in onde theta. Lo sa che il quoziente intellettivo dei bovini è superiore a quello di cani e scimmie? Le mucche, in particolare, sono animali incredibilmente sensibili. Ho letto che un professore di Cambridge ha eseguito test d'intelligenza su alcune di loro: be', indovini cosa ha scoperto?».

«Non riesco a immaginarlo».

«Glielo dico io. Che quando una mucca risolve un test d'intelligenza il suo battito cardiaco aumenta e le onde cerebrali riflettono entusiasmo. Non è sorprendente?».

«Certo. Fa... fa riflettere».

«C'è sempre qualcosa di commovente nella gioia spontanea di un essere vivente. Ora però si tolga dai piedi che devo andare a lavorare».

«Sì. Scusi».

«E non mi guardi come se fossi pazzo».

«Come?».

«Ha capito benissimo».

«Mi perdoni. Non era mia intenzione».

«Buon per lei. Ma mi tocca ricordarle che se avesse motivo di ritenere che il suo diretto superiore stia andando fuori di cotenna, tanto per usare un'espressione squisitamente tecnica, il suo sacrosanto dovere sarebbe riferirlo al direttore sanitario. Lo sa, vero?».

«Sì. Certo».

«Tanto non mi denuncerebbe lo stesso» disse Martinelli. «Lei è troppo leale».

Esitò, prima di quel «leale». Davide ebbe l'impressione che avrebbe usato volentieri un'altra parola.

«Adesso vada» disse Martinelli. «Ha una famiglia che l'aspetta».

Oltrepassò il tiglio e s'incamminò lentamente verso l'ospedale.

Davide attese qualche secondo, rimuginando febbrilmente. Poi si voltò verso il suo superiore.

Vide che la sua andatura era pervertita da una leggera zoppia.

Da quanto tempo?

«Dottor Martinelli» disse.

Il primario si fermò. Girò la testa verso di lui.

Davide esitò.

L'altro attese, senza muovere un muscolo. Un alito di vento gli scompigliò i capelli grigi.

«Credo che...» disse Davide.

«Cosa?» replicò Martinelli.

Davide aprì e chiuse la bocca un paio di volte.

«Credo che lei abbia bisogno di aiuto» disse alla fine. «Non ne sono sicuro, ma credo che lei soffra di... un lieve... disturbo psichico».

Martinelli lo fissò per un paio di secondi, poi si guardò

intorno. Socchiuse le palpebre, come un cucciolo di segugio cui un richiamo a ultrasuoni avesse solleticato per la prima volta le orecchie.

« Grazie » disse. « La diagnosi accurata di un professionista è sempre rassicurante ».

Quindi riprese a camminare. Davide lo seguì con lo sguardo fino alla base della scalinata.

Poi si girò, e sospirando si diresse verso la sua auto.

Fu solo quando oltrepassò la Hummer del suo superiore che notò l'angolo sinistro del suo paraurti conficcato nel radiatore della BMW.

Fissò la scena per almeno cinque secondi, avvinto dalla flagranza dell'errore, o più probabilmente del dolo. Poi si voltò verso l'ingresso, con gli occhi spalancati, in tempo per notare il dottor Martinelli inghiottito dal gorgo perenne e inesausto della porta girevole.

Mezz'ora dopo parcheggiò l'auto a qualche metro dal semaforo di via Giusti.

Non ricordava nemmeno com'era arrivato fin lì. Poco prima, in via San Paolino, aveva quasi investito un gruppetto di turisti, molto probabilmente reduci dalla casa natale di Puccini. « L'arte è una forma di pazzia » aveva detto una volta il grande compositore: chissà se l'opinione poteva applicarsi alla microchirurgia cerebrale, di cui Martinelli era indubbiamente un virtuoso, e, soprattutto, se la pazzia a cui alludeva fosse esclusivamente metaforica.

Oltre le mura il traffico era torpido e rarefatto, una rarità in quel periodo dell'anno. Davide aveva guidato con la radio accesa su un canale di vecchi classici, sospeso nell'orbita anulare dei pensieri, scie che precipitavano come frammenti di asteroidi dietro ai suoi occhi.

In macchina aveva riflettuto sulla SLA.

Aveva un'eziologia ampia e indeterminata: predisposizione genetica, infiammazione sistemica, accumulo di proteine anomale, errati meccanismi di rimozione di metalli pesanti o pesticidi – senza contare l'ossidazione prodotta da stress e tensione nervosa, sorta di spezia adatta a tutte le ricette.

Ovviamente, come tutti gli esseri umani, Davide ignorava quali e quanti elementi avrebbe dovuto includere tra i suoi personali fattori di rischio: ma se la tensione nervosa avesse giocato un ruolo decisivo, forse poteva già considerarsi un autorevole candidato alla sclerosi laterale amiotrofica o a qualunque altra patologia autoimmune, schiacciato com'era tra la violenza latente di un vicino di casa e le angherie di un primario in evidenti ambasce psichiche.

Quanto avrebbe retto il suo cervello? Per quanto tempo avrebbe sostenuto un'impalcatura gravata da un lavoro usurante (solo chef e poliziotti avevano un tasso di suicidi maggiore di quello dei medici) cui si aggiungeva, da mesi, il sovrappiù di due situazioni potenzialmente irrisolvibili?

Forse era arrivato il momento di prescriversi una TAC, una risonanza magnetica o un test per la quantità ematica di neurofilamenti (quando il cervello fa a pezzi i suoi stessi neuroni ne libera i resti nel flusso sanguigno, come un assassino di campagna che si sbarazzi di membra e frattaglie nel fiumiciattolo a due passi da casa).

Si prese la testa tra le mani.

Che fosse un vigliacco era ormai assodato, ma poi?

Ero un buon padre? Un buon marito? Un buon professionista?

Non ne era più tanto sicuro.

Quali erano le sue virtù?

Ci pensò sopra per un po'.

Be', sapeva ascoltare, si disse.

E poi era sollecito e cortese con tutti. Aveva cura e rispetto delle esigenze di colleghi e membri meno qualificati di un'istituzione patriarcale come un reparto ospedaliero: non era il tipo da censurare stizzito i minimi errori di un'assistente di sala alla fine di una craniotomia di nove ore. Assorbiva con pazienza le accuse di gente esasperata dall'inefficacia delle terapie somministrate a parenti o amici, e non si sarebbe mai sognato di approfittare della soggezione di qualche infermiera.

Eppure.

Che contributo aveva offerto alla neurologia fino a quel momento? Era un buon medico, certo: ma non c'era il minimo sentore che i risultati del suo lavoro ascendessero al livello di quelli ottenuti dal dottor Martinelli.

Né, a dirla tutta, di quelli di suo padre.

Che della fallacia del vecchio postulato localizzazionista, e di chissà quanti altri, si era limitato a prendere atto con un'alzata di spalle, potendo tranquillamente ribattere con il numero incalcolabile di malattie estirpate e funzionalità cognitive preservate a forza di bisturi e terapie. Tale era il livello della sua grandezza: salvare cervelli assaltati da demenze e tumori non era mai stato un gioco, ma solo un idiota, o un individuo intriso di malafede, avrebbe potuto negare che le risorse diagnostiche e terapeutiche di cui disponeva lui fossero smisuratamente più ampie e tridimensionali rispetto a quelle di suo padre, che pur avendo completamente frainteso il senso delle topografie cerebrali aveva salvato vite, dato lustro alla neurologia italiana e raggiunto fama e ricchezza.

E pensare che si era sentito sadicamente fiero di mostrargli quanto fosse in errore.

Che verme.

Non era degno di un genitore simile.

Era un pessimo figlio.

E quindi, anche se non del tutto conseguentemente, un pessimo medico. Che stesse uscendo di cotenna o meno, il dottor Martinelli faceva bene a esasperarlo.

E non era nemmeno un buon padre.

Posò le mani sulle cosce e chiuse gli occhi, il cuore stretto nella morsa della fatale evidenza.

Ripensò ancora una volta all'episodio del ristorante.

Non c'erano pretesti concepibili che lo sollevassero dalla vergognosa inerzia di genitore, marito e capobranco dinanzi all'assalto di un rivale in amore.

Aveva avuto paura.

Era un debole.

Una larva.

Perché gli altri non avrebbero dovuto notarlo? Come poteva pretendere che un vicino di casa psicopatico non annusasse la sua completa latitanza di nerbo?

Proprio in quel momento due macchine si fermarono al semaforo, a meno di cinque metri dalla sua. Una vecchia Golf e, più in là, una sfavillante Mercedes cabrio da cui spuntavano due colli ipertrofici sormontati da facce patibolari (il viso del guidatore, in particolare, era bisecato da una cicatrice diagonale di precisione pitagorica: l'occhio sinistro era semiaccecato da un glaucoma): facce che erano rivolte con aria poco rassicurante verso il conducente della prima auto.

Del quale si scorgeva solo la nuca, corrugata dalla torsione, oltre a una minima parte del profilo.

Profilo che a Davide parve familiare. Osservò l'uomo mentre apostrofava gli occupanti della Mercedes con parole che non capì.

Si sistemò gli occhiali sul naso.

Dove lo aveva già visto?

PARTE SECONDA

11

Proprio come suo marito, obbedendo a una di quelle necessarie simmetrie coniugali forgiate sulla condivisione di piccole sezioni di spazio e ampie porzioni di tempo, Barbara si svegliava ogni mattina alle sei. Aprendo gli occhi, nessuno dei due alterava la regolarità del ritmo respiratorio o l'armonia complementare dei movimenti: erano quindi reciprocamente inconsapevoli di partecipare alla puntualità euclidea di un risveglio contemporaneo. Ma se da quel momento, e per i minuti successivi, Davide pensava alla morte, Barbara si baloccava prosaicamente con la vita.

Il suo primo pensiero era sempre per Tommaso. Seguivano, a giorni alterni, meditazioni su alcuni piccoli pazienti, sui genitori o i suoceri (con i quali filava d'amore e d'accordo), su una giovane sorella sentimentalmente dissennata, sugli animali di casa e sulle amiche più care. Al risveglio la sua caviglia inferiore (la sinistra, poiché dormiva prevalentemente sul quel fianco) era invariabilmente allacciata a quella di suo marito. Nessun dubbio che il gesto simboleggiasse un'inconscia attestazione di possesso, secondo Davide, che se ne sentiva lusingato. Ma Barbara aveva una teoria leggermente diversa.

Anni prima, all'inizio del fidanzamento, Davide le aveva svelato l'esistenza di un omino nel cervello: di qualunque cervello, intendeva, non solo il suo. Nei primi anni Quaranta Wilder Penfield, un neurochirurgo canadese, aveva approfittato di alcuni interventi in anestesia locale per uno strano esperimento: utilizzando un banale elettrodo, aveva stimolato specifiche regioni dell'encefalo dei suoi pazienti provocando ogni tipo di sensazioni, immagini e ricordi. Dalle indagini successive derivò una mappatura delle zone primarie della corteccia: la curiosa rappresentazione che ne scaturì – una specie di grottesco folletto, con la testa e le mani sproporzionate a causa dell'elevatissimo numero di cellule corticali deputate ai rispettivi controlli – fu definita in suo onore «homunculus somatosensoriale di Penfield». Il quale Penfield, tra l'altro, aveva scoperto che per qualche ignoto motivo l'area di governo dei genitali era localizzata sotto quella dei piedi – dettaglio che contribuiva a spiegare l'altrimenti indecifrabile fascinazione erotica che le estremità esercitavano in una percentuale insolitamente alta di esseri umani. In pratica, Penfield dimostrò che l'ascendente sessuale dei piedi dipendeva dall'errata interpretazione di segnali visivi, tattili e olfattivi che il cervello fraintendeva a causa della competizione tra neuroni nelle zone adiacenti della corteccia.

Prima che suo marito le svelasse l'esistenza di quest'omino, Barbara aveva sempre attribuito l'attrazione per i piedi dei suoi precedenti ragazzi alla posizione che le estremità assumono durante la coreografia amorosa canonica: se qualcosa ti ballonzola davanti alla faccia mentre provi piacere, si era detta, magari finisci per ascrivergli un valore erotizzante alterato.

Quindi, a differenza di Davide, che spiegava le incursioni notturne del suo piede sinistro come una riaffermazione di possesso, Barbara preferiva interpretarle alla luce delle implicazioni podaliche della teoria di Penfield. Probabilmente non facciamo abbastanza sesso, aveva concluso: e il suo omuncolo intracranico non aveva altro modo di insinuarlo che spedire in avanscoperta il suo sesso/piede nell'oblio silenzioso del talamo.

Ogni tanto si chiedeva quale fosse il numero minimo di accoppiamenti mensili sotto il quale il sesso poteva definirsi inessenziale alla sopravvivenza di una coppia. Probabilmente due: farlo una volta al mese o non farlo affatto sarebbe stato equivalente. Due volte era una media desolante, d'accordo, che tuttavia assumeva un certo decoro se riferita a un arco temporale più esteso: sei volte a trimestre; dodici a semestre; ventiquattro all'anno; quasi cinquanta in un biennio. Senza l'orpello della relativizzazione, erano cifre dall'apparenza dignitosa. Lei e Davide facevano sesso tre o quattro volte al mese, più o meno coincidenti con il numero di sabati a disposizione (l'aleatorietà del quarto amplesso imputabile più agli altalenanti impegni accademici di Davide fuori città che alle catameniali occorrenze ematiche delle donne fertili). Anche da fidanzati, il vigore della giovane età – e quel subdolo meccanismo fisiologico che aumenta i livelli plasmatici di testosterone e ossitocina, le aveva spiegato, spingendo le coppie appena formatesi a fare più sesso per consolidare il proprio legame – raramente aveva prodotto più di due incontri alla settimana: Davide era troppo occupato a studiare e poco sensibile alle lusinghe dei suoi stessi peptidi. Era un amante scrupoloso e disposto a sperimentare, ma non aveva mai aspirato all'eccellenza: le sue ambizioni professionali, evidentemente, erano una pulsione più urgente e allettante dei capezzoli, delle cosce o della bocca di sua moglie. Dopo quasi diciotto anni di convivenza, Barbara poteva affermare che le sue responsabilità in merito erano minime: semplicemente, gli impulsi libidici di suo marito erano limitati, e lei non poteva farci granché.

L'autoassoluzione non implicava sconforto o rassegnazione, naturalmente: Barbara conosceva bene l'arte del compromesso e, a patto che l'avanzare dell'età non avesse diradato troppo il numero e l'intensità dei rapporti, era più che disposta a considerare accettabile un incontro intimo alla settimana, derubricando le scorrerie del suo piede sinistro a trastulli infantili.

Quella mattina, però, il suo primo pensiero non era stato per Tommaso, né per sua madre, né per qualche piccolo paziente disagiato, né per la sua licenziosa sorella: era stato proprio per Davide.

Era il 15 luglio, e non facevano l'amore da quasi tre settimane. Non era mai accaduto prima: da quand'erano fidanzati, le uniche settimane di deroga al sesso erano state imposte dalla nascita di Tommaso.

Quindi, quella mattina, si svegliò con la certezza che suo marito avesse un'amante: certezza che, ovviamente, ridimensionava non poco la sua riserva personale di compromesso e accettazione.

In realtà, e a sua parziale discolpa, quella del tradimento non era una supposizione completamente autoprodotta, quanto piuttosto il risultato di una riflessione di Serena, la sua migliore amica. Titolare di una profumeria, quarantaduenne, separata e senza figli, Serena era ancora sufficientemente corteggiata – e scopata, supponeva Barbara – da potersi produrre in solforose riflessioni sul sesso opposto senza formalizzarle in una condanna inappellabile. Con Barbara, in particolare, badava a contenere il cinismo entro limiti ragionevoli.

«In che senso *è strano*?» aveva chiesto a Barbara il giorno prima, davanti a due tazze di tè.

«Non lo so. È cupo. Pensieroso. Più distratto del solito. L'altra sera guardavamo un film e ho dovuto spiegargli quasi tutti gli snodi della trama».

«Forse era un film noioso».

«Non direi proprio».

«Allora avrà qualche problema in ospedale».

«Davide ha *sempre* qualche problema in ospedale».

E qui Barbara guardò un po' teatralmente il fondo della tazza.

«E poi ci sono momenti della giornata in cui ignoro dove sia» disse.

«Cioè?».

«Lunedì l'ho chiamato al cellulare e ho avuto l'impressione che non fosse al lavoro. Stavo per chiederglielo, ma ha tagliato corto dicendo che doveva parlare con un collega e mi avrebbe richiamato».

«E l'ha fatto?».

«Mezz'ora dopo. Ma senza troppo entusiasmo».

«Mi sembra tutto ancora troppo vago».

«Tre o quattro volte è tornato tardi dal lavoro».

«Tardi quanto?».

«Quando fa la mattina di solito è a casa poco dopo le tre, ma Tommaso mi ha detto di averlo sentito rientrare più o meno alle cinque».

A quel punto Serena aveva tirato fuori dalla borsa un pacchetto di sigarette.

«Ha comprato mutande nuove, di recente?» disse.

«Perché me lo chiedi?».

Per tutta risposta Serena si era accesa la sigaretta e aveva soffiato fuori la prima boccata, scuotendo la testa come a dire: «Lascia perdere». La ritrattazione era stata talmente maldestra da non includere i lineamenti: la tipica sincronia ritardata di voce e viso su cui contano gli analisti del linguaggio per smascherare i testimoni reticenti. La ferita amara delle labbra, gli occhi socchiusi, le sopracciglia aggrottate – il tutto circonfuso da uno spettro biancastro di fumo, a simboleggiare l'inconsistenza della lealtà – riassumevano la tristezza di dover attribuire l'ennesimo naufragio matrimoniale all'inaspettato adulterio del coniuge di gran lunga meno attraente: proprio com'era accaduto a lei.

A Barbara sembrava un'ipotesi inconcepibile. Ma quella stessa sera controllò tutti gli spazi di casa riservati alla biancheria. Non trovò nulla di nuovo nelle porzioni riservate a Davide: niente mutande, calzini o magliette che non avesse lavato e stirato lei stessa nelle ultime settimane.

S'infilò a letto parzialmente sollevata. Ma la domanda di Serena si era ormai insediata tra le quinte della sua mente. Da lì, nottetempo, schiudendo appena il sipario della coscienza come un attore timoroso che verifichi l'affluenza in platea, si affacciò sul proscenio dell'evidenza in perfetta simultaneità con lo spalancarsi delle sue palpebre. Si era addormentata a mezzanotte senza dare troppo peso alle maldicenze della sua amica: sei ore dopo si era svegliata con il sudario dell'insinuazione che le aderiva al viso come una seconda pelle.

Tre settimane di comportamenti insoliti non autorizzavano a dubitare di un marito irreprensibile. Ma il problema non era la distrazione di Davide: non era il suo sguardo corrucciato, né le torsioni sempre più laconiche delle sue argomentazioni, e nemmeno quel tempo dedicato a chissà chi o a chissà cosa fra le tre e le cinque di due giorni feriali consecutivi per tre settimane consecutive (anche se nessun individuo sessualmente svezzato ignorava che un paio d'ore era il lasso di tempo istituzionalizzato da legioni di adulteri per sbrigare senza fretta le proprie acrobazie da materasso: se Davide fosse sparito per tre o quattro ore, Barbara avrebbe temuto per la sua incolumità, non per quella del suo matrimonio): no, il problema era che aveva captato *una presenza*.

C'era qualcuno tra lei e suo marito.

Ormai ne era certa.

Qualcuno che assorbiva buona parte della sua attenzione, del suo desiderio, persino della sua inclinazione professionale a risolvere problemi. Perché era quella l'espressione che Davide si era appesa alla fronte da una ventina di giorni: la smorfia di qualcuno alle prese con un dilemma che non avrebbe mai immaginato di dover affrontare, e nei confronti del quale era giunto alla conclusione di non avere ragioni o risorse da opporre.

E a quel punto Barbara era sicura di sapere quale fosse, questo dilemma: è giusto che un medico stimato, di rettitudine proverbiale, abbandoni una moglie fedele e un figlio dolcissimo per coronare il suo sogno d'amore con:

la giovane e materna infermiera dell'unità di neonatologia,

(oppure)

la non più tanto giovane ma esperta e premurosa caposala del reparto di gerontologia,

(oppure)

la giovane e inevitabilmente curvilinea assistente del dipartimento di senologia,

(oppure)

la semi-infante specializzanda in neurologia?

Epaminonda, appollaiato sul comodino, aveva commentato con uno sbatacchiar d'orecchie.

Barbara si chiese dove avrebbe trovato la forza di risollevarsi da un vorticare di traumi come quello che le mulinava davanti: due settimane dopo avrebbe compiuto quarant'anni, e suo marito aveva una tresca con una sottoposta (della subordinazione gerarchica non dubitava: infermiera, assistente, caposala o studentessa, era comunque una *sottoposta*, con tutto il suo sadico precipitato di allusività etimologica): all'angoscia della decadenza fisica le sarebbe toccato sommare quella dell'abbandono.

Ed era alla lenta, insinuante, confusa e malinconica sintesi dei suoi rovelli che si apprestava quando Davide, che in diciotto anni pressoché ininterrotti di condivisione del talamo non aveva mai osato disturbarla prima della trillante levata delle sei e quarantacinque, aveva allungato una mano per sfiorarle il fianco destro.

« Amore » aveva detto piano. « Sei sveglia? ».

« Sì » mormorò, spalancando gli occhi nella semioscurità. Il vocativo più soffice, cui credeva di non avere più diritto, era bastato a spazzare ogni inquietudine.

Conosceva bene suo marito: forse non a sufficienza per emendarlo a priori dall'ipotesi di un tradimento, ma abbastanza per sapere che non l'avrebbe mai chiamata « amore» se dell'amore romantico non l'avesse ancora considerata l'incarnazione. Soprattutto, era certa che nessun ignobile traditore avrebbe chiamato sua moglie «amore» un attimo prima di comunicarle che era finita: non alle sei del mattino, quantomeno.

«Che c'è, tesoro?» lo esortò, sollevando appena la guancia dal cuscino. Percepì il fruscio delle sue braccia tra le lenzuola; intuì appena il suo viso che fissava il soffitto. Le mani erano intrecciate dietro la nuca.

«Ho conosciuto una persona» disse Davide.

A pensarci bene, non le parole migliori che potesse scegliere.

Mezz'ora dopo, Giovanni e Tommaso erano seduti su due assi di legno incastrate tra i rami della quercia che ombreggiava buona parte del giardino dei Lenci.

Giovanni gli aveva detto che quelle vecchie assi erano il pavimento di una casetta di legno che suo padre aveva avuto l'intenzione di costruire per lui, ben prima di trasferirsi a Modena. Poi, però, il matrimonio dei suoi aveva sofferto un'improvvisa autocombustione, e sua madre aveva trascinato Giovanni con sé dai nonni materni prima di spedirlo a raggiungere i fratelli in Australia; oppure, suo padre si era reso conto che le sue competenze di bioedilizia non erano così approfondite da consentirgli di procedere oltre il pavimento; oppure ancora, lo stesso Massimo aveva spesso vagheggiato di aprire un music pub nei locali del pianoterra, e non gli era sembrato il caso di piazzare una casetta di legno proprio sopra l'albero più imponente del giardino.

Erano questi i motivi, diversi ogni volta che suo padre gliene aveva parlato, per i quali Giovanni e Tommaso erano seduti con le gambe penzoloni su due robuste assi di mogano.

Il sole si era già inerpicato per un piccolo tratto della sua solitaria escursione fino all'altro lato del mondo.

«Raccontami un'altra leggenda aborigena del tuo amico Jiemba» disse Tommaso.

Giovanni diede un'occhiata al vecchio zaino al suo fianco, come per trarne ispirazione. La punta del boomerang si affacciava dalla sommità del sacco come un osso alieno, liscio e scuro.

«Per il popolo della Vera Gente,» disse «il sole è una donna che attraversa il cielo con la sua fiaccola. Prima di partire si trucca con polvere d'ocra, così sottile che si disperde nel cielo, colorando di rosa l'orizzonte all'alba e al tramonto».

«Bello» disse Tommaso.

Seduto sullo zerbino del portico di casa, Fred Flintstone osservava preoccupato il suo padroncino, sospeso tra le fronde come uno di quegli odiosi scoiattoli cui un tempo i gatti di casa riservavano furtivi appostamenti.

Tommaso fissò il cane a sua volta, poi salì con gli occhi fino al piano superiore. Vide il suo cannocchiale: la lunga testa reclinata di lato come quella di un pendolare insonnolito nel vagone di un treno.

«Lo sai,» disse «io credo che tra migliaia di anni l'uomo abbandonerà la Terra. Trascorrerà la sua vita dentro navi stellari e basi spaziali lungo le rotte dell'universo, o colonizzerà i pianeti ospitali di questa o di altre galassie, finché tra milioni di anni non ci sarà angolo del cosmo senza insediamenti umani. L'universo sta semplicemente aspettando. Io credo che sia stato creato per questo. Per aspettare».

E qui si era girato a guardare Giovanni. Il quale, con la zazzera schiarita dal sole e l'espressione di uno sciamano in contatto con le energie planetarie, reagì a quelle parole strofinandosi il naso con il dorso della mano, senza manifestare approvazione o contrarietà. A Tommaso venne in mente che la cosmogonia aborigena aveva un sostrato profondamente sciovinista e geocentrico, e rendeva l'ipotesi di abbandonare la Madre Terra – persino la terra trafelata e boccheggiante in cui sopravvivevano i discendenti dei

Gadigal, degli Jagera, dei Turuwal e delle altre tribù di nativi espropriati di beni e dignità – un'eventualità sommamente detestabile.

Forse era il caso di cambiare discorso.

« È vero che in Australia ci sono rane velenose grosse quanto un uomo? » gli domandò.

In quel momento Barbara era seduta sullo sgabello della penisola, con i gomiti poggiati sul piano di legno e il mento sulle nocche. Non avendo capito granché della confessione di suo marito, si apprestava a pretenderne una seconda versione.

Davide era in piedi e fissava qualcosa tra i listelli della persiana.

« Che sta guardando Fred Flintstone? » disse, seguendo con gli occhi la bisettrice del suo sguardo. Sussultò nell'individuare l'oggetto della sua attenzione: Tommaso sospeso tra i rami della quercia di casa Lenci.

« Ma... che cavolo... » mormorò. Poi si scostò con aria pensosa e si avvicinò al lavello. Prese due tazze da latte appese sotto lo scolapiatti e le posò sul ripiano di formica.

« Non mi avevi detto che Tommaso frequentava il figlio del nostro vicino » disse.

« Ah no? Non ci vedo nulla di male, comunque ».

« Sarà. Ma in ogni caso preferirei che non se ne stessero a chiacchierare su un albero ».

« Come sarebbe *su un albero?* ».

« Vieni a vedere ».

Barbara si avvicinò quasi di corsa alla finestra.

« Oh santo Dio » disse. « Che cavolo ci fa lì sopra? Vado a chiamarlo ».

« Aspetta un attimo ».

« No. Esco e vado a tirarlo giù ».

« Sei in mutande ».

« Mi ha già visto in mutande ».

«Lui sì. I vicini no».

«Aspetta... mi pare che stiano scendendo. Meno male».

Si mise a osservare i due complici che si calavano lungo i rami con qualche difficoltà. Tommaso scese per primo, e Barbara notò intenerita che Giovanni tentava di assicurarne l'incolumità tenendolo per la maglietta: scrupolo superfluo (una t-shirt di cotone non avrebbe frenato granché il suo impeto verso la Madre Terra), ma comunque apprezzabile.

Davide si avvicinò a sua moglie.

«Da quant'è che si conoscono?».

«Due o tre settimane. Giovanni passa un sacco di tempo sul tetto a far svolazzare il suo boomerang. Prima o poi dovevano mettersi a chiacchierare».

Davide le si affiancò.

«E com'è che si vedono a quest'ora?» disse.

«Giovanni dorme pochissimo. Sta ancora smaltendo u-una specie di lungo jet lag».

«Non sono sicuro che mi tranquillizzi vedere nostro figlio in quel giardino».

«A me non entusiasma vederlo scendere da un albero, ovunque sia l'albero».

«Dovremmo parlargliene».

Lei si girò a fissarlo.

«Dicendogli cosa?».

«Non lo so ancora. Mentre aspettiamo di saperlo, limitiamoci a intimargli di non sconfinare».

«Cosa credi possa succedergli?».

«Guarda tu stessa».

Barbara tornò a scrutare dai listelli della persiana. Sul portico era apparso Massimo Lenci. Indossava una camicia spiegazzata con le maniche arrotolate e un paio di buffi pantaloni a mezzo polpaccio. Sulla spalla destra portava un forcone.

«Oddio,» disse Barbara «che cavolo se ne farà di quell'affare? Ha una stalla lì dietro?».

«Dev'essere di suo padre».

«Come lo sai? Conosci suo padre?».

«Satana? Non di persona».

«Smettila. Mi metti ansia».

Giovanni, nel frattempo, aveva toccato terra con qualche patema. L'uomo scese i gradini del portico e si mise a parlottare gesticolando disinvolto con la mano libera. Tommaso disse qualcosa. Le sue parole ottennero il plauso divertito di Massimo, che allungò un braccio e gli scompigliò i capelli.

« *Captatio benevolentiae*» disse Davide. «Sa che lo stiamo spiando».

Si salutarono tutti, poi Tommaso circumnavigò il giardino e attraversò la strada.

«Togliamoci da qui» disse Barbara. «Mettiamoci a sedere e facciamo finta di nulla. Nel frattempo, è decisamente il caso che tu mi rispieghi per filo e per segno quello che mi hai detto a letto».

12

Barbara aveva appreso con comprensibile sollievo che suo marito non provava interesse per un'altra donna – la fantomatica rivale di ceppo ippocratico cui aveva immolato il quinto o sesto risveglio più angoscioso della sua vita –, ma il sollievo si era dissolto in fretta appena aveva percepito l'intensità del suo interesse *per un altro uomo*.

L'imbarazzo di Davide nel descrivere il loro incontro – fortuito nelle premesse, incauto nella prosecuzione, poi sciaguratamente meditato e perseguito – le sembrò innervato da tutte le affannate contorsioni retoriche di un adultero sospeso sul baratro della flagranza di reato.

Tommaso, nel frattempo, se ne stava seduto sui gradini del portico ad accarezzare Fred Flintstone. Il Jack Russell, estatico per lo scampato pericolo del suo padroncino, lo aveva accolto con un laudativo zampillo di pipì: Tommaso, abituato com'era alla sua incontinenza geriatrico-emotiva, se n'era sottratto con un elegante saltino salvapiedi.

Dieci minuti dopo era entrato in casa. Aveva salutato i genitori con aria sospettosa – che ci facevano tutti e due in cucina a quell'ora, di domenica? –, poi era salito in camera sua. Per completare il periplo dalla quercia dei Lenci alla porta di casa aveva impiegato un quarto d'ora, quasi tutto speso in giardino a rintuzzare le celebrazioni di Fred. Quindici minuti di tempo: sottraendo i primi cinque, trascorsi tra vaghe e cavillose protasi di alleggerimento, Davide ne impiegò meno di dieci a ripetere a Barbara cosa gli era accaduto. A lei furono sufficienti i primi tre per cominciare a sospettare che un'imperscrutabile entità aliena avesse sostituito suo marito con un rimpiazzo inesperto e improvvisato, un sosia perfettamente configurato quanto a tratti somatici, ma completamente sprovvisto del software adatto a simularne la personalità.

Tanto per cominciare, il suo vero marito non avrebbe mai seguito l'auto di uno sconosciuto. Né sarebbe sceso dalla sua, di auto, una volta individuata la destinazione dell'uomo, una zona semidisabitata ben oltre la periferia settentrionale di Lucca. Lo sconosciuto, a dire il vero, non era completamente tale, avendolo Davide identificato come lo stesso sbrigativo scimmione che poco più di un mese prima aveva sottratto sua moglie e suo figlio alle molestie di un idiota ubriaco.

«Perché lo hai seguito?» gli aveva domandato Barbara.

«Volevo ringraziarlo».

Appena si era reso conto di chi fosse, al semaforo, Davide aveva messo in moto e tallonato la Golf con discrezione.

Dieci minuti dopo, l'uomo si era fermato più o meno a metà di via di Moriano, era uscito dall'auto e si era infilato rapidamente in una piccola via perpendicolare alla principale.

Davide aveva parcheggiato poco lontano. La via era sorvegliata da file opposte di ippocastani. Sul lato destro si srotolavano bassi edifici e case coloniche; più a nord, i seni candidi di una cava di ghiaia.

Aveva atteso qualche secondo, indeciso sul da farsi, poi era uscito e aveva percorso il centinaio di passi fino all'angolo dietro cui era sparito il suo uomo. Era apparsa una corta stradina: più in là, lo sfondo inaspettato di una larga radura ondulata, in mezzo alla quale c'era un boschetto attraversato dalla timida lucentezza del Serchio. Le colline all'orizzonte sembravano sbalzate dal bulino di un incisore.

Lo sconosciuto era sparito.

A metà della via si fronteggiavano due alti edifici che sembravano abbandonati da un pezzo. Davide si avvicinò al cancello del primo. Spirali irregolari di filo di ferro gommato vigilavano sui cardini disassati. Alzò gli occhi alla facciata: due coppie di balconi scrostati, sormontati da altrettante persiane, invecchiavano con dignitosa noncuranza.

Si girò a studiare l'altro fabbricato.

Era un'impressione, o la struttura era inclinata su un lato? Davide piegò lentamente la testa per collaudare l'ipotesi. Non c'erano dubbi: l'edificio stava sprofondando per effetto di una qualche indolente subsidenza. Il verde pallido dell'intonaco gli dava un aspetto sofferente, come se la lieve flessione laterale fosse causata dall'affaticamento epatico di un gigantesco organismo. A destra, separata da una piazzola chiusa da uno steccato di assi sverniciate, c'era una costruzione in mattoni decisamente cupa. Davide si ritrovò a chiedersi se lo spazio tra i due edifici fosse abbastanza ampio da evitare che una brusca risoluzione dei dilemmi geologici del palazzo epatopatico coinvolgesse il vicino di strada.

Non ci avrebbe scommesso.

Quindi s'incamminò fino all'ingresso della costruzione in mattoni. Svoltò su un corto sentiero di ghiaino e si ritrovò davanti alla porta. Sul campanello non c'erano nomi, cognomi o sigle, né altre indicazioni utili a ottenere informazioni sui proprietari, a ovvia eccezione della loro ritrosia a essere identificati.

Alzò gli occhi per una panoramica più accurata.

Non si sarebbe detto un edificio residenziale. Si chiese se non fosse finito davanti all'ingresso di un centro di recupero per tossicodipendenti – come i Narconon di Scientology –, o magari di una casa-famiglia, sebbene alla porta

121

non fossero appesi disegni, mosaici o altre cianfrusaglie allestite dalla precaria coordinazione manuale di bimbi artisticamente stimolati. E poi, se avesse dovuto dedurlo da modi e aspetto, supponeva che il ruolo professionale del suo uomo fosse legato più alla tutela di qualche astinente indocile che alla paziente didattica di bimbi abbandonati.

In ogni caso, stava per scoprirlo.

Suonò il campanello.

Prese un bel respiro e si preparò a dire qualcosa.

Cosa? Non ne aveva idea.

Passarono venti secondi.

Suonò di nuovo.

Contò fino a trenta.

Possibile che si fosse sbagliato?

Forse non era davanti alla porta di un centro di recupero o di una casa-famiglia. Magari l'uomo che aveva pedinato viveva da solo ed era già sotto la doccia.

Si chiese se fosse il caso di suonare ancora.

In fondo non era nemmeno sicuro di sapere perché fosse lì.

Ormai era trascorso ben più di un minuto. Si preparò a tornare sui suoi passi, ma non si era girato nemmeno di un quarto che la porta si aprì.

Sobbalzò, colto di sorpresa.

Sull'uscio apparve un uomo di mezz'età.

« Buonasera » disse.

Aveva i capelli rasati, e indossava pantaloni e camicia senza collo che a Davide ricordò l'uniforme dell'Esercito Popolare di Liberazione maoista. Dunque era proprio un centro di recupero, pensò: con i guardiani addirittura irreggimentati in una specie di milizia.

« Buonasera » rispose Davide.

« Posso fare qualcosa per lei? » chiese l'uomo.

« Sì. O almeno credo. Avevo l'impressione che fosse entrato qui un amico ».

L'uomo incrociò le braccia dietro la schiena.

«Non mi pare» disse. «Come si chiama la persona che cerca?».

Davide abbassò gli occhi, in cerca di una risposta che non aveva. Notò che l'uomo era scalzo. Il dettaglio lo incuriosì: non c'era nulla di strano nella visione di un paio di piedi nudi in un pomeriggio estivo, ma all'improvviso lo assalì la sensazione che quel tipo non fosse semplicemente sorretto dalle piante dei piedi: era come se le estremità lo radicassero in un equilibrio più saldo, ancorandolo al centro della terra quanto avrebbero fatto le radici di un vecchio ulivo. Emanava pace, solidità, coesione al mondo.

Chi era quell'uomo? E cos'era quel posto?

«In realtà non ho idea di come si chiami» confessò.

L'uomo non parve sorpreso.

«Capisco» disse. «Se mi dà un attimo, chiedo ai miei confratelli se è entrato qualcuno poco fa».

Confratelli?

L'uomo sparì oltre la porta e lo lasciò in attesa. Davide ne approfittò per sbirciare all'interno.

Sulla parete più lontana vide una specie di largo tamburo di pelle con il fusto decorato da pittogrammi, accanto al quale pendeva uno strano martelletto di legno. Sul muro laterale c'era un telo di seta color avorio ornato da un gigantesco morfema o ideogramma, probabilmente giapponese.

Dove si trovava?

L'unica cosa di cui poteva essere certo, a questo punto, era che lo sconosciuto non fosse entrato lì.

L'uomo tornò un attimo dopo.

«Mi spiace, ma a quanto pare non è entrato nessuno».

«Non fa nulla» disse Davide. «Devo essermi sbagliato».

L'uomo fece un cenno di commiato con la testa, poi chiuse con delicatezza la porta.

Davide si apprestò a fare dietrofront. Prima di incamminarsi sulla via principale si chiese di nuovo dove fosse finito il suo uomo. Che fosse arrivato al boschetto?

Si girò a controllare.

Improbabile, pensò. Era troppo lontano: nemmeno correndo come un pazzo sarebbe arrivato fin lì prima che Davide lo notasse.

In ogni caso, non aveva intenzione di andare a controllare.

Raggiunse la macchina.

Aveva già perso fin troppo tempo.

S'immise sulla strada, fece manovra e tornò nella stessa direzione da cui era arrivato.

Il giorno dopo si alzò senza svegliare Barbara, che non aveva appuntamenti di lavoro, e fece colazione da solo. Alle quattro e mezza del mattino un incalzante drappello di cumulonembi aveva invaso il cielo crivellando d'acqua la città, per poi ritirarsi rapidamente verso est. Quando Davide uscì di casa, il mondo era lustro e profumato: piccole perle argentee luccicavano sulla carrozzeria vaporosa della BMW.

Entrò in sala operatoria poco prima delle nove. Alle undici e mezza si stava già togliendo i guanti nel locale di preparazione. Aveva bisogno di un caffè. La macchina automatica era sparita dal tavolinetto dell'ufficio: forse era in manutenzione, o forse vittima di un altro degli inesplicabili sabotaggi del dottor Martinelli.

Al pianterreno c'era un distributore automatico di bevande calde.

Prese l'ascensore e in pochi secondi raggiunse l'atrio: davanti alla macchina un uomo in tuta e cappellino cercava una moneta nel portafogli. Davide attese il suo turno frugandosi le tasche.

Non trovò monete: il tintinnio sordo che aveva sentito era l'applauso di una coppia di chiavi gemelle. Le tirò fuori e le osservò attentamente, chiedendosi di chi fossero.

Poi se lo ricordò: aprivano il lucchetto della bici di Tommaso. Gli aveva promesso che avrebbe ingrassato catena e mozzi.

Era l'incombenza del pomeriggio: in quel momento ne aveva un'altra – procurarsi cinquanta centesimi per il caffè. Si girò verso l'ingresso. Forse poteva elemosinare qualcosa dalle ragazze dell'accettazione.

«Non si preoccupi, dottore» disse in quel momento l'uomo davanti a lui. «Offro io».

Davide lo guardò, un po' stupito. L'uomo non si era nemmeno girato. Era un paziente? Un infermiere a fine turno? Il cappellino, indossato alla rovescia, gli copriva del tutto testa e collo: impossibile capire chi fosse.

«Grazie» disse Davide. «Ci conosciamo?».

Lui si voltò.

Apparvero due occhi scuri su un viso di spigoli e pelle tesa.

Era l'uomo che aveva seguito il giorno prima.

«No» disse. «Ma rimediamo subito».

13

In pratica, dal momento che Davide guidava una Serie 5 nuova e lussuosa e aveva esibito un'abilità pedinatoria sconsolante (due sintomi dei quali le categorie di esseri umani davvero pericolosi sono solitamente prive), lo sconosciuto si era presentato in ospedale senza troppe precauzioni. Aveva curiosato un po' in giro, rimbalzando dall'ingresso ai pannelli delle indicazioni, simulando le difficoltà di orientamento di un profano di ambienti ospedalieri per non insospettire il servizio di sicurezza dietro le telecamere.

Poi si era seduto sui divanetti sfogliando una rivista, come un visitatore che attenda i parenti prima di recarsi in geriatria a sincerarsi delle condizioni di un vecchio zio.

Parcheggiando aveva cercato la BMW di Davide, scovandola nei posti riservati accanto a una mastodontica Hummer.

Sapeva come si chiamava il suo uomo e quanti anni aveva. Sapeva cosa faceva lì dentro. Sapeva che era figlio di un pezzo grosso della medicina toscana. Su Google aveva trovato foto della sua famiglia a un evento benefico di un paio d'estati prima: la moglie Barbara, trentotto anni, logopedista, e il figlio Tommaso, quattordicenne, studente di liceo.

Il viso del ragazzo gli era parso familiare.

Il dottore aveva qualche chilo in meno e qualche capello in più. La montatura degli occhiali era diversa.

Seduto sui divanetti, aveva cominciato a riflettere sul da farsi.

Davide Ricci era un autorevole professionista dall'aria mite: il livello di minaccia che rappresentava, quindi, era a malapena misurabile. La sua strategia di approccio poteva tranquillamente risolversi nel salire in neurologia, intercettarlo e chiedergli pacatamente conto del pedinamento della sera prima. Se le sue risposte fossero state incerte o evasive, avrebbe agito di conseguenza: conosceva metodi molto convincenti per sovvertire le priorità dei suoi interlocutori. A un tratto gli era venuta voglia di un caffè e si era alzato per andare al distributore automatico. Proprio in quel momento aveva visto Davide uscire dall'ascensore. Lo aveva studiato nel riflesso del vetro: lo aveva osservato avvicinarsi, controllarsi le tasche alla ricerca di monete, e poi guardarsi intorno estroflettendo le dita in quello che aveva tutta l'aria di essere il tipico riflesso condizionato miotendineo di un chirurgo.

Niente reparto di neurologia, dunque.

Perfetto.

E aveva persino l'occasione di offrirgli un caffè.

Ottimo.

Gli piaceva essere cortese.

Davide disse a Barbara che riconoscere quell'uomo non era stata una sorpresa. Durante la notte aveva riflettuto sulla possibilità che lo sconosciuto si fosse accorto di lui nel corso del pedinamento, e avesse preso nota della targa scoprendo chi era grazie a un versamento irrisorio sul sito del PRA per la visura perfettamente legale della sua auto. La cosa strana fu che in quel momento si sentì psichicamente inerte proprio a causa della gelida constatazione della sua relativa assenza di sorpresa.

Tempo dopo, lo sconosciuto gli avrebbe detto che si era nascosto dietro una delle vecchie palazzine diroccate a metà della via, aspettando con calma che Davide tornasse indietro.

Da vicino il suo viso era ancora più curioso. Come buona parte dei medici, Davide svolgeva un lavoro prevalentemente pubblico, e vedeva migliaia di facce all'anno: così, per gioco, aveva elaborato una personale teoria sulla distribuzione delle fisionomie umane – un'altra delle sue cervellotiche, autocompiaciute eccezioni a una visione razionalista e disincantata delle dinamiche universali. Non era credente, e considerava i retaggi religiosi un portato culturale come tanti, ma gli piaceva pensare che nel piccolo ecosistema politeista che si era creato ci fosse una divinità deputata alla progettazione delle facce umane: il suo unico compito, in pratica, era ideare volti, ma per quanto cospicuo e multiforme fosse il suo talento, le combinazioni possibili sulle decine di miliardi di esseri umani vissuti dall'inizio dei tempi non erano infinite. Quindi Davide credeva di aver individuato un numero relativamente basso di volti primordiali, un numero limitato di matrici su cui il demiurgo si divertiva a scolpire variazioni. Solo ogni tanto, e sempre più raramente, gli capitava di incontrare una faccia non ancora catalogata nel suo ormai rispettabile database.

Come quella dell'uomo davanti a lui.

Non era deforme – le tipologie di visi affetti da patologie o danneggiati da incidenti non erano ammesse, nel suo archivio – e non sembrava nemmeno l'esito di un'infrequente commistione di etnie: padre etiope e madre thailandese, o inuit e messicana, o boscimano e svedese. Era una faccia perfettamente occidentale: né bella né brutta, solo terribilmente insolita. Gli occhi grandi, di un verde paludoso; la mascella tesa e liscia, con i muscoli inferiori percorsi da una specie di voltaggio ipodermico; il naso sottile, la fronte alta, gli zigomi sporgenti, il tutto sovrinteso da una specie di stranissima egida trigonometrica. A Davide non era mai interessato granché associare alle facce un'indole, ma temeva di averne appena trovata una: a un viso del genere non poteva che corrispondere un temperamento pericoloso.

Al limite della psicopatologia, probabilmente.

Si sedettero su divanetti opposti, con il caffè in mano. L'uomo non si era ancora presentato. Sotto gli occhi delle addette all'accettazione Davide si sentiva relativamente al sicuro, ma per i primi cinque minuti dovette sforzarsi di tenere sotto controllo un leggero tremito alle ginocchia.

« Ha una gran bella macchina » esordì l'uomo.

Davide fece un piccolo sorso.

« Grazie » disse.

« Cilindrata? ».

« Tremila ».

« E la Hummer parcheggiata accanto alla sua auto? Di chi è? ».

« Del primario di neurologia ».

« Del *suo* primario, quindi ».

« Sì ».

E qui l'uomo allungò il braccio destro verso Davide.

« Diego » disse.

Davide sembrò colto di sorpresa.

« Davide » disse, stringendogli la mano.

« C'è qualcosa in particolare che voleva dirmi, ieri pomeriggio? ».

« Sì » rispose Davide, dopo un attimo di esitazione. « Volevo ringraziarla ».

La fronte dell'uomo espresse una sincera perplessità.

« Di cosa? » disse. Il caffè era ancora intatto nella sua sinistra.

Davide si adagiò sul divanetto. Forse poteva permettersi di rilassarsi.

Solo un po'.

«L'altro giorno ha aiutato mia moglie e mio figlio in un ristorante di viale Puccini. Un ubriaco li aveva infastiditi. La situazione poteva farsi pericolosa, ma è intervenuto lei. Sono arrivato appena in tempo per vederla... convincere quel tipo a essere più educato».

Bevve un altro sorso di caffè.

«Così, ho pensato di esprimerle la mia gratitudine» continuò Davide. «Sono contento di poterlo fare ora».

L'uomo posò il bicchierino sul tavolinetto.

«Non c'è di che» disse, incrociando le braccia. «Come ha fatto a trovarmi?».

Davide posò a sua volta il bicchierino sul bracciolo della poltrona. Aveva colto il segnale non esattamente propizio di quel sovrapporsi di arti. Si chiese quanti soldi avesse con sé, nel caso fosse stato costretto a espiare la superbia di presumersi idoneo a pedinare il proprietario di una faccia come quella senza farsi notare.

Che idiota.

Che colossale idiota.

Nel portafogli non aveva più di sessanta o settanta euro; altri ottanta li teneva di riserva nel cassetto della scrivania. In un lampo di umiliante chiarezza, si vide costretto a mendicare soldi dai colleghi: e pensare che poco prima si era sentito in difficoltà alla prospettiva di elemosinare cinquanta centesimi alle ragazze dell'accettazione.

«È stato per puro caso» rispose. «L'ho vista in auto a un semaforo. È ripartito immediatamente: a quel punto non sapevo bene cosa fare e l'ho seguita. Non volevo spaventarla lampeggiando, e mi sono limitato a sperare che si fermasse presto».

Spaventarla.

Figuriamoci se uno psicopatico del genere si sarebbe spaventato per così poco.

Diego si sistemò il cappellino. Sembrava leggermente avvilito. Davide si augurò che la delusione fosse dovuta alle ridotte possibilità che la faccenda si risolvesse menando le mani: dopotutto, chi avrebbe picchiato un tale che lo aveva seguito per ringraziarlo di avergli soccorso moglie e figlio?

« Tutto qui » disse Davide, posando gli occhi sulle braccia muscolose dell'uomo. Il quale si tratteneva senza sforzo apparente dalle ritmiche contrazioni bi o tricipitali che ogni culturista si sente in dovere di eseguire ogni volta che incrocia le braccia – una specie di mioclonia intenzionale che ottempera a qualche sciocco codice di appartenenza, quando non appaga un banale esibizionismo, ma che a un neurologo interessava professionalmente in quanto possibile sintomo di lesioni corticali.

« Capisco » disse Diego.

Davide trattenne l'impulso di allungare il braccio per stringergli di nuovo la mano e congedarsi il più in fretta possibile.

« Ti piace il tuo lavoro? » disse l'altro a quel punto.

Era passato al tu. Davide si chiese se fosse un buon segno.

« Sì » rispose. « Certo ».

« Qual è la cosa migliore che ti capita qui dentro? ».

« Cioè? ».

« Qual è il momento più bello di un lavoro come il tuo? » chiarì, senza impazienza.

Davide si posò le mani incrociate in grembo.

« Be', non vorrei infliggerle un luogo comune, » disse « ma salvare la pelle di un altro essere umano è sempre il momento apicale della vita di chiunque faccia il mio mestiere ».

E qui si chiese confusamente perché avesse inserito, nella stessa frase, un'espressione popolare come « salvare la pelle » e un aggettivo insolito come « apicale ». Si rispose che, non sapendo bene come muoversi, stava inviando messaggi ambivalenti. Per uscire illeso da quella situazione aveva quindi pensato di esibirsi in un gioco di contrappesi dialettici. In pratica: *parlo come te perché sono come te* (un uomo dotato di sentimenti, desideri, emozioni, paure), ma allo stesso tempo *uso parole complicate perché sono su un livello socioculturale superiore al tuo* (il che, sperò, gli avrebbe garantito quel minimo d'immunità supplementare che in genere deriva dall'intimidazione classista).

«Sì» aggiunse. «Direi che è questo il momento più bello e significativo della vita di un medico. Dire a una coppia di genitori che il loro unico figlio se la caverà».

E qui annuì a se stesso, con l'aria più trionfalmente umile che gli riuscì di simulare.

Diego annuì a sua volta. Non sembrava impressionato.

«E quando ti tocca dirgli che non ce l'ha fatta?» chiese, sporgendosi leggermente sulla sedia. «Che cosa si prova a riferire a una madre vedova che il suo bambino è morto di arresto cardiaco da anestesia un attimo prima che gli incidessi l'aracnoide?».

Davide lo guardò fisso. Aveva detto «aracnoide»?

Doveva aver capito male.

A quel punto Diego allungò una mano verso di lui e la posò sul suo ginocchio. A Davide tornò in mente l'intermezzo allucinatorio di tre giorni prima: il braccio di Lenci che si allungava nell'abitacolo per eseguire un radicale intervento cardiaco ai suoi danni.

«Come si reagisce a una prova del genere, dottore?» disse. «È doppiamente terribile assistere al dolore altrui quando di quel dolore si è responsabili, vero?».

Lo guardò intensamente.

«In questi casi, forse è meglio trovare al più presto una giustificazione,» continuò Diego «senza la quale sarebbe impossibile conservare un minimo di autostima professionale. È logico. È umano. Il tuo è un lavoro difficile: gli errori dei tuoi collaboratori sono tuoi errori. Non puoi separare le loro colpe dalle tue. Non puoi reciderle come avresti fatto con la piccola neoplasia al cervello di quel ragazzino. Ma ora hai il cadavere di un tredicenne sul tavolo ope-

132

ratorio e una madre annientata che riesce ad articolare solo due parole: "Dio" e "no". Qual è il passo successivo, dottore? Una mail riservata all'ufficio legale? Una chiacchierata di conforto con il tuo primario?».

Gli diede una pacca cortese sulla gamba.

«Il primario forse no: meglio una telefonata alla tua signora. Il primario ti fa aggrottare la fronte al solo nominarlo. Il primario parcheggia l'auto talmente vicina alla tua che a fine turno ti toccherà entrare dalla parte del passeggero. Quella Hummer non ha più di quattro mesi: strana scelta, per uno stimato professionista a un paio d'anni dalla pensione. Qual è la diagnosi, dottore? *Gerascofobia? Tanatofobia?*».

Davide lo fissava, come ipnotizzato.

Diego si alzò. Prese il caffè dal tavolino. Non ne aveva ancora bevuto una goccia.

«E tu?» disse. «Hai paura di morire, Davide?».

Fece un sorso.

«Non ha davvero importanza» proseguì Diego. «Perché oggi è il tuo giorno fortunato. Dalla sala operatoria arrivano buone notizie».

Si sistemò il cappellino sulla testa.

«Oggi non morirai» disse. «Al contrario: oggi è il giorno in cui rinascerai».

14

Due giorni dopo si ritrovarono davanti al sottopasso di San Colombano, dopo un'ora di chiacchiere sui camminamenti delle mura. Erano le nove e mezza di una serata ventosa. Diego chiese a Davide di fermarsi, incrociò le braccia e gli si parò davanti, fissandolo attentamente. A tre o quattro metri da loro c'era un ragazzo, svenuto, o ubriaco, con la schiena appoggiata al muro e la testa crollata sul petto.

«Immagina questo pezzo di strada» disse Diego «come l'equivalente di un tratto di fiume amazzonico infestato da piranha o candirù; e ora immagina te stesso, con il tuo orologio d'oro e la borsa di pelle, come un vecchio bufalo che guada lentamente il fiume, e che borsa e orologio siano le microulcerazioni della pelle da cui particelle di siero fluiscono eccitando l'olfatto delle creature attorno a te».

I lampioni macchiavano la scena di chiaroscuri. La galleria sembrava il fondale di tela e cartone di un vecchio film espressionista.

Candirù? si chiese Davide. Cos'era un candirù?

Il sottopasso cominciava ad animarsi. All'imbocco della galleria si stavano formando capannelli furtivi: Davide intercettò sguardi torbidi, espressioni accigliate. Una nebbia d'interesse parve calare su di loro.

Diego disse che non c'era motivo di preoccuparsi: non era mai stato lì prima di quel momento e non aveva alcun influsso specifico di autorità su quelle persone, eppure non c'era ragione di temere che borsa, orologio e portafogli finissero in mani altrui.

« C'è un Potere dentro di noi » disse a quel punto.

Davide gli chiese cosa fosse, esattamente, questo Potere.

Lui rispose che lo sapeva benissimo.

L'aveva sempre saputo.

Poi, come se gli avesse letto nel pensiero, disse che la *Vandellia cirrhosa*, o candirù, era un sottile pesce osseo, una rara specie di vertebrato parassitario, con la sinistra abitudine di infilarsi nell'uretra degli sventurati che si bagnavano nudi nel Rio delle Amazzoni. Si diceva che il dolore di essere divorati dall'interno fosse così atroce che c'erano casi documentati di indigeni che avevano preferito tagliarselo di netto, piuttosto che sopportare di essere tenacemente rosicchiati da un parassita prima di morire di febbre nella capanna dello sciamano. Il che, disse Diego, gli sembrava una metafora della scelta cui tutti saremmo stati chiamati, prima o poi: tagliarsi di netto qualcosa che credevamo indispensabile, o morire.

« Tagliare.

« O morire.

« La società moderna reprime gli istinti che non comprende o che non le fanno comodo. Inibisce l'aggressività individuale perché ritiene che confligga con l'idea di civiltà. Gesù è vissuto duemila anni fa: la sua morte violenta ha redento i nostri peccati. Abbiamo decantato la parabola del martirio di tutti i suoi contenuti edificanti, dimenticando che è stata la cruda violenza a restituirci il significato di quel sacrificio.

« Dio ha creato il mondo con la violenza.

« L'universo si è espanso nel nulla in virtù della pura violenza.

«Le nostre anime sono state salvate da un atto di violenza».

La luna era salita oltre i caseggiati sul lato occidentale della via. L'ombra appuntita di un tetto sfiorò la scarpa sinistra di Davide: in quel momento il vento crebbe d'intensità, come a istituire un paradigma di causa ed effetto tra pressione atmosferica e tangibilità della sua persona. Davide si guardò le scarpe, sorpreso da un pensiero così strano. Stava impazzendo?

No. Forse stava solo ricablando connessioni dismesse tra zone inoperose del suo cervello.

Una coppia di balordi si era avvicinata di qualche metro, parlottando in una lingua straniera.

Diego si girò a guardarli.

«Serbi» disse. «Gente che appena vent'anni fa decapitava i vicini di casa sorpresi a pregare sul libro sbagliato. Gente che non ha mai perso il contatto con la parte più selvaggia di sé. Ma la violenza è un potere ambiguo, che ha bisogno di essere controllato: se non lo domini, dominerà te. E non puoi controllare qualcosa che neghi a priori. Non puoi gestire una parte di te che rifiuti persino di concepire. Per convivere con il Potere devi nutrirlo e addomesticarlo. Decine di secoli di culto della pace, del perdono e dell'amore si sono raggomitolate nella più stucchevole delle utopie: guarda a che punto è il mondo dopo duemilacinquecento anni di buddhismo, danze sufi e yoga Vipassana. È inutile tentare di comprimere la tua indole fino a ridurla a un innocuo accessorio della way of life occidentale. Altrimenti la violenza riemergerà, e nel momento peggiore. Mentre discuti con un fratello o un cognato. Mentre litighi con un socio. Mentre tua moglie alza la voce e su quel tagliere c'è un coltello a lama lunga».

Davide guardò i due serbi.

Uno di loro lo stava fissando.

«I tuoi vestiti firmati» mormorò Diego.

«La tua borsa Smythson da duemila euro. Il tuo Hublot da settemila.

« Eppure ne uscirai vivo.
« Non sei solo.
« Non siamo soli.
« C'è qualcosa dentro di noi ».

15

Alle due del pomeriggio Barbara uscì dal piccolo bistrot vegano di via San Giorgio in cui pranzava due volte alla settimana. Girò l'angolo di via Battisti e proseguì lentamente in direzione dello studio leggendo gli ingredienti della barretta al muesli danese 100% BIO che avrebbe mangiato alle cinque.

Da un paio di mesi soffriva di un lieve prurito agli avambracci, e sospettava che qualche elemento della sua dieta le fosse subdolamente avverso. Gli ingredienti della barretta erano scritti in inglese e in danese. Alla fine della prima settimana di fastidi l'avviso INTOLLERANZA ALIMENTARE aveva discretamente cominciato a lampeggiarle in un angolino della testa: la sola idea di un autosabotaggio perpetrato dai suoi meccanismi immunitari le era insopportabile. Alla fine di una breve indagine, svolta con scrupolo, ma nel riserbo assoluto, era giunta a individuare in mandorle, noci, anacardi e nocciole la fonte dei suoi problemi. Anche se Davide e Tommaso rispettavano le sue scelte alimentari, preferiva minimizzare il diffuso sospetto che nei vegani più sensibili il ricorso sistematico alla frutta secca stimolasse una reazione istaminica eccessiva. C'era già l'annosa questione del deficit di cobalamina cui pensare: una sua carenza significativa poteva provocare difficoltà neurologiche, e in proposito suo marito era comprensibilmente molto circospetto.

La ragazza al bancone le aveva assicurato che quel tipo di muesli danese non conteneva semi oleosi.

« *Chia seeds* » lesse, ad alta voce.

Si fermò a rifletterci.

Semi di chia.

Erano oleosi?

Prese il cellulare dalla borsa e digitò su Google « semi di chia e intolleranze alimentari », sperando che le parole di qualche esperto smentissero i suoi timori.

A tre o quattro metri da lei c'era una BMW identica a quella di Davide.

La fissò, senza troppa sorpresa. La Serie 5 non era un modello esotico come una Tesla o una Lamborghini: persino il suo ginecologo ne aveva una identica, o almeno così aveva creduto fino a quando Davide le aveva spiegato che il modello del dottore era una M5 Marina Bay Blue, che costava almeno cinquantamila euro più della sua e sintetizzava alla perfezione il gap professionale tra un medico che si occupava di cervelli e un altro che profondeva tutto il suo scrupolo nell'assistenza di organi ben più attraenti.

Ciò non toglieva che dopo la confessione della settimana prima, quando Davide le aveva detto di aver pedinato invano un uomo per vederselo ricomparire davanti il giorno dopo – un uomo che ormai frequentava con regolarità e un paio di volte aveva persino definito un amico (Cristo santo, un *amico*) –, Barbara non sapeva più bene cosa pensare. Era come se nell'ultimo mese la vita di suo marito fosse diventata un enigma. E fu in ossequio alle sue nuove incertezze che si mosse verso l'auto per leggerne la targa, sperando appartenesse al rampollo di qualche oligarca lucchese che a quell'ora stava finendo di pranzare, o sonnecchiava nel suo delizioso appartamento da scapolo al quarto piano di uno dei palazzi della via.

EZ 077 TR, lesse sul retro della BMW.

Era la sua targa?

La verità era che non se lo ricordava. Roteò gli occhi nello sforzo di recuperare l'informazione, ma riuscì a ottenere solo la *vaga sensazione* che quel codice di elementare brevità identificasse l'auto di suo marito.

Ma una sensazione era sufficiente.

Lo era, dopo aver trangugiato e faticosamente digerito la storia di un tale – a suo parere un pazzo pericoloso – che si era presentato all'ospedale di Davide e aveva cercato di convincerlo che la sua vita fosse una totale mistificazione.

E se il pazzo in questione non fosse esistito? Se suo marito avesse imbastito una storia così arzigogolata solo per occultare la sconfortante convenzionalità di una scappatella?

Il suo ospedale era dalla parte opposta della città. E a quanto ne sapeva Barbara, Davide non aveva amici in via San Giorgio, né aveva mai fatto visite domiciliari. L'unico pretesto concepibile per la sua presenza lì era proprio l'ufficio di sua moglie, che comunque era ad almeno dieci minuti a piedi, e non c'era ragione al mondo capace di indurre un famigerato pantofolaio come lui a camminare così a lungo.

A quel punto scrutò l'interno dell'auto alla ricerca d'indizi: non vide la giacca di lino che Davide indossava quella mattina, né la cartella di pelle chiara, dono di sua madre per l'ultimo Natale. Il resto dell'abitacolo era della stessa, desolante indefinitezza di qualunque altra Serie 5.

Che poteva fare? Chiamarlo? A quell'ora non si sentivano mai. Una telefonata non lo avrebbe messo in allarme?

Forse stava di nuovo amplificando un evento normalissimo: Davide era a pranzo in uno dei ristorantini del centro con il dirigente di una ASL o un fornitore. Non le risultava che avesse mai avuto compiti di rappresentanza, d'accordo, ma non c'era motivo di dubitare che potesse accadere.

In linea teorica.

Molto teorica.

Aveva ancora quasi un'ora prima dell'appuntamento successivo. Decise di trascorrerla lì, appoggiata alla portiera posteriore, sperando che suo marito apparisse nel giro di qualche minuto, e soprattutto augurandosi che non si presentasse trafelato dopo una sessione di ginnastica orizzontale nell'appartamentino di qualche procace collega.

Dopo meno di cinque minuti lo vide uscire dalla porta a vetri di un piccolo edificio a una cinquantina di metri.

Era, in effetti, trafelato.

Barbara impiegò un paio di secondi a riconoscerlo. Era senza cravatta, con le maniche della camicia arrotolate e i capelli vaporosi di doccia. Dal braccio destro gli pendeva la giacca e dalla mano sinistra la borsa da tennis Babolat, vestigia dei bei tempi in cui i parametri dell'OMS non lo avevano ancora classificato come Sedentario Assoluto.

Alzò gli occhi oltre la testa di suo marito e vide, con incredulità altrettanto assoluta, che l'insegna sopra la porta recitava: A.L.A.M. − ACCADEMIA LUCCHESE DI ARTI MARZIALI.

Nel vederla, Davide soffocò un lieve trasalimento: a Barbara sembrò la saltellante sutura tra i fotogrammi di un vecchio film. Suo marito s'incamminò verso l'auto con molle disinvoltura, unico effetto collaterale apprezzabile della sua inconcepibile stanchezza.

«Tesoro» disse, posando la borsa sul cofano della macchina. «Ti spiace se ti spiego tutto mentre mangio qualcosa?».

Ordinò riso con zucchine e zafferano e una tagliata di pollo nel primo ristorante lungo la strada. Barbara non commentò.

«L'allenatore mi ha detto che dopo la seduta devo rico-stituire le scorte di proteine» si giustificò Davide.

«Allenatore di che?».

«Di thai boxe. Sembra uno preparato. Infatti ho deciso di seguire le sue prescrizioni alimentari. Il criterio dissociativo dei macronutrienti non è previsto, come vedi».

«Che diavolo ci fai in un corso di thai boxe?».

«Le solite cose. Tappeto. Squat. Affondi. Un po' di corda. Burpees. Tecniche di guardia e attacco. Diretti. Ganci. Calci. Cose così».

«Riformulo la domanda: come ti è venuto in mente di iscriverti a un corso di thai boxe?».

«Perché? Non dici sempre che devo perdere qualche chilo?».

«Con la boxe?».

«Certo. È un'attività molto intensa, e io sono ufficialmente in sovrappeso. Ti ricordo che la sedentarietà danneggia le cellule cerebrali».

«E il pugilato è universalmente considerato un toccasana per la salute delle cellule cerebrali, mi pare proprio di ricordare».

«Ma dài. Non penserai che lì dentro passiamo il tempo a riempirci di cazzotti? L'obiettivo è muoversi un po'».

«E allora perché non vai a muoverti da qualche altra parte? C'è una palestra a due passi dal tuo ospedale».

«Ma è piena di donne. È uno di quei posti in cui fanno solo corsi per grass... per signore in sovrappeso».

«E da quanto tempo va avanti questa cosa?».

«Più o meno tre settimane».

«Tu odi gli sport da combattimento».

«Quando mai l'ho detto?».

«Devo dedurne che hai intenzione di combattere?».

«Non ci penso nemmeno».

«Allora che senso ha imparare a farlo?».

Davide scrollò le spalle e si guardò intorno, in chiara difficoltà. A Barbara sembrò uno dei suoi piccoli pazienti messo dolcemente di fronte a un difetto di pronuncia al quale non era per niente certo di voler rinunciare.

«Tesoro» gli disse. «Dimmi che tutto questo, qualunque cosa sia, non ha niente a che fare con quello che mi hai raccontato di Lenci».

«Cioè cosa?».

«Le minacce. La storia del cavatappi e tutto il resto».

«Figurati. Nemmeno ci penso più».

La cameriera arrivò a depositare un piatto sul tavolo. Davide prese la forchetta e affondò i rebbi tra i flutti vaporosi del risotto.

«Meglio così» disse Barbara. «Scusami. Forse sono ancora scombussolata».

«Scombussolata?» chiese lui, ficcandosi con cautela in bocca una forchettata incandescente. «E da cosa?».

«Da tutte queste novità».

«Che sarebbero?».

«Be', prima il tuo nuovo... *amico*» disse. «E ora la boxe. È stato lui a suggerirti di imparare a fare a botte?».

«Ti ho appena detto che non sto imparando a fare a botte».

«Meglio. Perché l'uomo che ho sposato è una persona dolce e buona, che ripudia ogni forma di violenza».

«E quell'uomo sono io».

«Come fa Diego di cognome?».

«Non ne ho idea».

«Ne avrà uno».

«Magari anche più di uno, ma io li ignoro tutti».

«E quanti anni ha?».

«Non lo so. Una trentina?».

«E che lavoro fa? Di questo avrete parlato».

Davide scosse la testa, posando la forchetta sul bordo del piatto.

«Non credo che il suo possa definirsi esattamente *lavoro*».

Barbara lo fissò, perplessa.

«Continuo a non capire cosa fate quando siete insieme, comunque» disse.

Lui si passò lentamente la prima falange del pollice su un sopracciglio.

Nel linguaggio del corpo di Davide significava: bella domanda.

16

«Pronto?».

«Ciao Davide. Ti disturbo? Sei in ospedale?».

«No, in macchina. Appena uscito da casa».

«Scusa se mi faccio vivo solo ora, ma in ufficio abbiamo avuto tre settimane deliranti».

«Non ti preoccupare. Hai trovato qualcosa?».

«Sì. Ma la premessa è che quanto dirò deve assolutamente restare confinato nel breve spazio tra la mia bocca e il tuo orecchio. Anche se in effetti siamo al cellulare e quindi lo spazio non è esattamente breve, il che rende l'immagine confusa, ma la premessa non meno vincolante».

«A chi vuoi che ne parli?».

«Non lo so e non m'interessa: tu limitati a promettere che terrai la bocca chiusa. Ho un amico alla Procura di Modena che ha dato un'occhiata al certificato dei carichi pendenti del tuo vicino. Vorrei tenessi presente che certe informazioni non potrebbero essere divulgate senza il consenso dell'interessato».

«L'interessato? E chi sarebbe?».

«Il tuo vicino».

«Stai dicendo che un cittadino onesto non ha il diritto

di sapere se il tizio che gli abita di fronte è uno stupratore seriale o qualcosa di simile?».

«In teoria no. Si chiama diritto alla privacy: la legge tende a limitare il danno che la diffusione di certi dati potrebbe arrecare alla reputazione altrui».

«E i danni che l'altrui potrebbe arrecare a me?».

«Davide, è un discorso complicato, e non credo di avere tempo per un dibattito. Senza contare il fatto che, nel nostro caso, il problema non si pone».

«Perché?».

«Perché Lenci non è un pregiudicato e non ha pendenze penali di nessun tipo».

«No. Non è possibile».

«E invece sì. Probabilmente ti ha mentito. Oppure hai frainteso quello che ha detto».

«Com'è possibile fraintendere qualcuno che dice di aver sgozzato un poveraccio?».

«Forse scherzava. Oppure voleva spaventarti».

«Obiettivo indubbiamente raggiunto».

«Ne prendo atto. A questo punto la cosa migliore è lasciar perdere e proseguire per la nostra strada».

«No, no. Non ha senso. Quell'uomo ha ammesso di aver tentato di ammazzare un compagno di bevute, e sono sicuro che non mentiva. Possibile che la depenalizzazione compulsiva di questo stramaledetto paese sia arrivata alle tracheotomie improprie?».

«No, non scherziamo, non siamo messi così male. Se Lenci ha davvero tentato di uccidere qualcuno, è praticamente impossibile che abbia evitato il processo. Scartabellando la nera modenese dell'ultimo decennio ho effettivamente trovato una rissa da bar finita con una ferita alla gola. Il tutto è successo proprio quattro anni fa, come ti ha detto il tuo caro vicino. Il problema è che non risultano processi o condanne a carico di chicchessia».

«Come può essere?».

«Non lo so».

«Forse la vittima ha ritirato la denuncia».

«Non c'è bisogno di denunce per reati del genere. Esiste una cosa che si chiama "obbligatorietà dell'azione penale", e include praticamente tutti i fatti di sangue».

«E allora cosa può essere successo?».

«Non ne ho idea. La mia teoria resta quella dell'intimidazione pura e semplice. Non è piacevole, lo so, ma sempre più rassicurante che avere uno psicopatico all'altro lato della strada».

«No, no, no. Non stava mentendo. Me ne sarei accorto».

«D'accordo. A questo punto ho un'altra ipotesi, anche se è un po' campata in aria».

«Perché?».

«Diciamo che non risolve l'interrogativo principale».

«Sentiamola lo stesso».

«Be', c'è un solo modo di sfuggire a un processo per reati così gravi: non essere imputabile».

«È il caso di Lenci?».

«Direi proprio di no. Puoi risultarlo se hai meno di quattordici anni, ad esempio, o se sei stato dichiarato incapace di intendere e di volere prima di commettere il fatto. E a me non pare che il nostro galantuomo rientri in nessuna delle due categorie».

«Con qualche dubbio residuo sulla seconda».

«Nemmeno. Da quanto mi hai detto è ampiamente possibile che il tuo vicino sia un pazzoide violento, ma non è mai stato ufficialmente certificato come tale dalla perizia di un tribunale. Ho controllato».

«Quindi?».

«Be', partiamo dal presupposto che l'ipotesi più probabile rimanga la minaccia pura e semplice: il nostro amico voleva suggerirti di non tirare troppo la corda facendoti notare quant'è pericoloso urtare la sua suscettibilità. Dunque ha ritenuto astuto collegare l'avvertimento a un fatto accaduto davvero, qualcosa che avresti potuto verificare con una ricerca sul web, oppure chiedendo in giro».

« Fin qui ti seguo ».

« Solo che Lenci non deve aver messo in conto che scoprissimo l'inspiegabile, e non proprio consequenziale, candore della sua fedina penale. Ora, facciamo finta che il tuo sesto senso non s'inganni, e che Lenci abbia detto la verità: è stato coinvolto in una rissa e un disgraziato ci ha quasi rimesso la pelle. L'unico intoppo è che afferma di essersi beccato due anni, mentre noi sappiamo che quasi certamente non ha nemmeno subìto un processo. Proviamo a riflettere: perché un innocente avrebbe interesse ad attribuirsi un crimine così odioso? ».

« Proprio non lo so ».

« È evidente che dovrebbe trarne dei vantaggi, e piuttosto importanti ».

« Credo di sì ».

« E allora ipotizziamo che l'aggressore, in realtà, non sia lui, bensì qualcuno che il tuo vicino aveva tentato di coprire: qualcuno che ha tuttora interesse a non coinvolgere ».

« Qualcuno chi? ».

« Non chiederlo a me. Ma se fosse un pezzo grosso della malavita locale? Dico così, tanto per dire. Poniamo che Lenci volesse salvarlo per ottenere qualcosa. È solo un'ipotesi, ripeto, non prenderla per buona. Però mi chiedo: chi ha dato al tuo vicino i soldi per aprire il locale? Ha usato i risparmi di una vita? Ha ottenuto un mutuo dalle Poste? Ha taglieggiato gli anziani genitori? ».

« Va' a saperlo ».

« E se invece avesse riscosso una bella sommetta per aver tentato di salvare le chiappe a un amico importante? ».

« Ipotesi interessante ».

« Meno di quanto sembri. Perché comunque non spiega come avrebbe fatto l'amico in questione a evitare il processo ».

« È questo l'interrogativo irrisolto a cui ti riferivi? ».

« Esatto ».

« Come facciamo a saperne di più? ».

«Devo scomodare un po' di amici».

«Grazie. Anche se a questo punto non so se è peggio che il mio vicino sia un pazzo accoltellatore o un malavitoso».

«Già. Appena so qualcosa ti avverto e decidiamo come muoverci, ma ci vorrà qualche settimana. Per ora di più non posso fare».

«Hai già fatto moltissimo. Non riuscirò mai a ringraziarti abbastanza».

«Puoi dirlo forte».

«Sei il numero uno».

«Questo lo puoi addirittura urlare».

17

Quella mattina Tommaso si arrampicò sulla quercia dei Lenci un po' prima del solito. Non aveva mai parlato a Giovanni di Francesca, ma aveva l'impressione che fosse il giorno giusto.

Si sedette a cavalcioni su una delle assi e guardò verso est. Venere si era già dissolta nello splendore nascente del sole.

Se crescere implica l'accumularsi di complicazioni, pensò, era quasi ironico che un astronomo appassionato come lui si fosse trasformato in geologo dilettante della sua stessa, triste stratificazione di problemi. E qual era il sedimento peggiore da contemplare? Dover attribuire alla ragazza di cui era innamorato il ruolo di principale impulso tettonico della sua balorda orografia di rovelli.

Oh, perché quella maledetta notte lo aveva abbracciato?

Le persone cercavano o subivano un contatto, producendo occasioni di fraintendimento numerose quanto stelle e pianeti: corpi celesti di senso, nel glaciale nulla cosmico dell'errore di interpretazione.

Una scalata ansimante interruppe le sue riflessioni. Il busto di Giovanni emerse dalla sommità del tronco: Tommaso lo aiutò a salire afferrandogli un braccio, poi si preparò a sbrigare in fretta il rituale dei saluti e dei consueti preliminari. Di solito parlavano di fumetti, film horror, sneakers, videogiochi per PC o Playstation. Un paio di giorni prima Tommaso aveva espresso la sua opinione sulla pizza e sul gelato più buoni di Lucca, e Giovanni aveva citato tra i corrispettivi di Perth la pizza di un localino in Georges Terrace e il gelato in un bar di Southside Drive. Tommaso aveva notato da un pezzo che Giovanni era ferratissimo in storia, cultura e toponomastica australiana, ma parlava un inglese un po' maccheronico: Giovanni stesso ammetteva che il tempo passato tra i parenti della comunità italiana non aveva contribuito granché a decontaminare la sua dizione.

Quella mattina si sistemò sulle assi e guardò Tommaso con aria dignitosamente afflitta.

Dopo un paio di lunghi sospiri, disse che alla fine di quella settimana avrebbe cominciato a lavorare come cameriere al Summer Festival: di conseguenza non era per niente sicuro che lui e Tommaso avrebbero potuto continuare a vedersi così spesso.

Alle sue parole seguì un breve, solenne silenzio. Tommaso prese ad annuire con piccoli, contriti cenni del capo.

Ci mancava anche questa, pensò.

Alzò gli occhi e fece una lenta panoramica di via Tofanelli, deserta e silenziosa.

C'era qualcuno davanti al cancello della sua villetta.

Un giovane muscoloso in cappellino bianco, pantaloncini blu e maglietta dello stesso colore. Tommaso lo riconobbe subito: era lo sconosciuto che aveva tirato fuori lui e sua madre da una situazione potenzialmente spiacevole in quel ristorante di viale Puccini.

Che ci faceva lì?

Sembrava indeciso se suonare o meno. A un tratto si girò verso la quercia, come se le occhiate dei ragazzi avessero attivato il fotodiodo di un sensibilissimo allarme corporeo.

Alzò lo sguardo. Li vide e sollevò una mano.

Tommaso rispose alzandola a sua volta.

L'uomo attraversò la strada e si fermò a un paio di passi dalla staccionata.

«Buongiorno» disse. «Mattinata ideale per fare due chiacchiere a quattro metri da terra. Come va?».

«Bene» rispose Tommaso.

«È casa tua quella?» disse, puntando il pollice dal lato opposto.

«Sì signore».

«Diego. Niente signore. E il cannocchiale sul balcone?».

«Mio anche quello».

«Cos'è? Un AstroMaster?».

Tommaso sollevò le sopracciglia.

«No» disse. «Un NexStar».

«Motorizzato?».

«Sì».

«Su cosa è puntato?».

«Una cometa. La C/2015 ER$_{61}$ PANSTARRS. Sarà visibile per poche settimane ancora».

Diego annuì, alzando gli occhi al cielo.

«Mai sentita la teoria secondo la quale a portare la vita sulla Terra sarebbe stato l'impatto di una cometa?».

Il volto di Tommaso s'illuminò.

«Certo» disse. «La panspermia di Arrhenius. Il nucleo delle comete precipitate potrebbe aver contenuto funghi e altre molecole organiche: aminoacidi, acidi nucleici, vitamine, zuccheri e acidi grassi».

E qui diede una rapida occhiata colpevole a Giovanni, la cui teogonia aborigena, quasi certamente, non includeva teorie che spiegavano l'enigma della vita come esito dell'ostinato impulso evolutivo di micelle di fosfolipidi o archeobatteri.

«Tu credi che ci sia vita su altri mondi?» domandò Diego.

Tommaso fece di no con la testa.

Stavolta toccò a Diego sollevare le sopracciglia.

« Quindi, per te, tutte quelle comete in giro per l'universo starebbero seminando spore di vita senza costrutto? » chiese.

« Ho paura di sì ».

L'uomo alzò di nuovo gli occhi al cielo.

« Che spreco » disse. « Tutto quello spazio, e nessuno che sappia a cosa serve ».

« Be', non è detto » ribatté Tommaso. « Io credo che entro i prossimi cinque miliardi di anni, quando il Sole sarà morto, l'uomo avrà conquistato ogni angolo dell'universo. Il numero di esseri umani sarà incalcolabile, e allora tutto quello spazio diventerà necessario. In un certo senso ».

Diego lo studiò attentamente.

« Mi pare di capire che l'ipotesi ti affascini » disse.

« Sì » ammise Tommaso.

Diego abbassò gli occhi fino alla base dello steccato, come a voler riflettere ancora sulla prospettiva.

Per un po' rimasero in silenzio.

« Ho letto un racconto di Asimov, quando avevo la vostra età » disse Diego a quel punto. « Avete mai letto Asimov? ».

Tommaso e Giovanni si produssero in un enfatico, e sorprendentemente coordinato, cenno di diniego.

« Be', comunque nel racconto si fa riferimento alla seconda legge della termodinamica. Sapete cos'è? ».

Tommaso fece segno di sì.

« Allora forse saprai che le implicazioni di questa legge suggeriscono l'eventualità della morte termica dell'universo. Dato che un sistema chiuso non consente un'espansione infinita, l'entropia costringerà il cosmo a reggersi su un equilibrio sempre più precario, rotto il quale non saranno più possibili i processi energetici: la vita, che di quei processi è l'espressione più alta, si estinguerà ».

Tommaso aggrottò la fronte, come se non avesse minimamente contemplato un intralcio termodinamico ai suoi trionfanti scenari di antropizzazione universale.

« Secondo Asimov » disse ancora Diego « l'unica soluzione possibile è che il progresso scientifico arrivi a un livello tale da permettere all'uomo di creare un altro universo ».

E qui allargò teatralmente le braccia.

« In pratica, alla razza umana restano quindici miliardi di anni, l'età stimata entro la quale tutto avrà fine, per evolvere in qualcosa di simile a Dio ».

Seguì un altro lungo silenzio, appena perturbato dal cinguettio di un pettirosso nel giardino di casa Ricci.

Tommaso prese a sbattere ritmicamente le palpebre, come se stesse computando i parametri temporali di una possibile deificazione collettiva per inserirli nei limiti pronosticati da Asimov. Quindici miliardi di anni. Erano pochi? O abbastanza?

Diego abbassò lievemente la testa. Sotto la tesa del cappellino sembrava sorridere, ma forse era solo un gioco d'ombre nella luce del mattino.

« Sarà sveglio tuo padre? » domandò.

18

Barbara aprì gli occhi che erano già le otto: quel giorno, tra lei e suo marito non ci fu nessun opposto e vicendevolmente ignoto interludio riflessivo delle sei del mattino. Davide era rientrato esausto a sera inoltrata: convocato d'urgenza in sala operatoria a fine turno, aveva consumato ogni energia per ridurre l'emorragia cerebrale di un tredicenne caduto dal secondo piano.

Per una porzione consistente di notte, come faceva dopo ogni maratona neurochirurgica da cui lo vedeva emergere, Barbara aveva monitorato il respiro di Davide. Alcuni medici traevano da quelle esperienze un vigore invidiabile, come se la salvezza del paziente corroborasse il loro status di divinità minori, insufflatori di spirito vitale, incisori di glifi semitici sulla fronte di statue d'argilla; lui, invece, ne riaffiorava talmente provato da far sembrare che la prosecuzione della vita dello sciagurato sul tavolo operatorio gli fosse costata un frammento significativo della sua. Tempo prima aveva letto del *karoshi*, l'epidemico sciame di morti da superlavoro nelle metropoli giapponesi, e da quel momento, a ogni ritorno a casa, esaminava il viso di Davide cercando indizi di un affaticamento eccessivo.

Si alzò senza far rumore e camminò a piedi nudi fino alla stanza di Tommaso. Non si sorprese di non trovarlo. Quasi certamente era in giardino con il suo nuovo amico, ancora più mattiniero di lui: a quel punto era probabile che Giovanni avesse smaltito l'abnorme jet lag transemisferico, ma in compenso osservasse qualche austera regola devozionale. Barbara entrò nella stanza e si avvicinò alle imposte. Sbirciò i ragazzi seduti sul pavimento di assi.

C'era un uomo sulla strada, ai piedi dell'albero.

Tommaso ascoltava le sue parole inframmezzandole d'interventi.

Barbara impiegò solo un altro secondo per capire chi era.

Tornò in camera sua, s'infilò una canottiera e scese in cucina per sorvegliare il colloquio da una prospettiva migliore. Seguì con apprensione apparentemente ingiustificata ogni singola sequenza (l'individuo che chiacchierava amabilmente con suo figlio era pur sempre colui che aveva salvato entrambi da un imbecille alcolizzato), fino a quando vide Tommaso estrarre qualcosa dalla tasca dei pantaloncini e puntarlo contro il cancello.

Lo sapevo, pensò Barbara.

Il lampeggiante sulla colonnina di metallo si accese. Il cancello cominciò a scivolare lentamente sulla rotaia.

Fred Flintstone, sdraiato al fresco della veranda, alzò la testa.

Barbara scosse la sua.

L'uomo salutò i ragazzi toccandosi la tesa del cappellino, poi oltrepassò il cancello e s'incamminò nel giardino, con l'andatura rilassata del grosso animale al vertice della catena alimentare di un piccolo ecosistema.

Barbara spedì un'amorevole maledizione a suo figlio.

Cazzo, si disse. Che bisogno c'era di manifestare cordialità a chiunque? Perché non riusciva mai a impedirsi di erogare la sua stramaledetta disposizione emotiva al soccorso? Non poteva lasciare che quel tipo suonasse semplicemente il campanello? Non poteva garantire a sua madre il diritto di non rispondere?

Si guardò le cosce nude.

Non poteva darle almeno il tempo di mettersi qualcosa addosso prima di aprire?

Si spostò dalla finestra e pensò freneticamente a una soluzione. In fondo c'era pur sempre una porta blindata da abbattere.

Un ferocissimo Jack Russell da sopraffare.

Si avvicinò alla porta e guardò dallo spioncino.

L'uomo era arrivato alla veranda e stava proprio accarezzando Fred Flintstone, i cui rari soprassalti di aggressività (definibili come tali solo in virtù di un titanico sforzo d'immaginazione) erano scrupolosamente riservati alla comparsata semestrale presso l'ambulatorio veterinario. Di solito Fred disapprovava tramite ripetuti scuotimenti di testa, arricciamenti di muso, goffa esibizione di canini e un ringhio talmente attutito da sembrare il ronzio di un frigorifero.

Barbara si disse che l'unico modo di frapporre la brutalità di un animale domestico tra sé e quell'uomo fosse salire in camera, prelevare Epaminonda mezzo addormentato dal comò, farlo precipitare sull'intruso dalla finestra e stare a guardare l'esito dell'impatto di un gatto sociopatico e violento con la testa di un individuo dall'identico profilo psichico.

L'uomo continuava a sfiorare la testa di Fred Flintstone senza troppo vigore, arpeggiando come un liutista dilettante. Il suo viso era nascosto dalla tesa del cappellino, e Barbara non aveva modo di capire se godesse del contatto o stesse solo blandendo un potenziale assalitore.

Davvero molto potenziale, pensò.

Lo vide dare un'ultima lisciata alla testa del cane e salire i gradini rimasti.

Bussò alla porta con discrezione.

Tommaso doveva avergli detto che a quell'ora, di solito,

suo padre era già in cucina. Geneticamente predisposto a ingrassare, Davide cercava di non posticipare mai a dopo le nove la colazione, in modo da rispettare i princìpi ormonali della cronobiologia; a sua madre, invece, che non aveva problemi di linea e quella mattina non lavorava, piaceva poltrire a letto fino a tardi. Barbara non dubitava che Tommaso avesse rivelato allo sconosciuto buona parte di questi dettagli, allo scopo legittimo e teoricamente filantropico di persuaderlo che, se invece di suonare al citofono avesse bussato con delicatezza alla porta, avrebbe trovato chi cercava senza disturbare nessuno.

Peccato che quella mattina i ruoli tra lei e suo marito si fossero imprevedibilmente invertiti.

Si avvicinò alla porta e ne aprì una minima parte.

Lo spiraglio venne immediatamente oscurato dal petto e dalla faccia dell'uomo.

Diego si aggiustò di nuovo il cappellino con la mano destra e si schiarì la voce.

«Buongiorno, signora» disse. «Mi scusi se sono arrivato fin qui, ma suo figlio mi ha detto che suonando avrei rischiato di svegliarla».

L'adorabile prevedibilità di Tommaso.

Barbara ebbe il tempo di chiedersi se l'episodio della canna, con il passare degli anni, avrebbe finito per rivelarsi l'unica occasione di osservare un versante scosceso e inaspettato della personalità di suo figlio.

Cominciava a sospettare di sì.

Cominciava persino a *temerlo*, in un certo senso.

«Sono un amico di Davide» puntualizzò l'uomo.

«Lo so» disse Barbara.

Non si era lavata il viso e aveva i capelli legati in una pericolante crocchia domestica, ma non se ne curò. Aveva intenzione di esalare ostilità da ogni poro, e l'impeccabilità estetica non era un requisito necessario all'effusione smodata di ostilità.

«Mio marito dorme» disse. «È rientrato tardi ieri sera,

dopo un intervento di sei ore su un ragazzino caduto da un balcone».

Che bisogno c'era di tutti quei dettagli? Che l'impulso filiale alla prodigalità di particolari irrilevanti avesse basi ereditarie?

«Capisco» disse lui.

Tese il braccio destro verso di lei.

«Intanto mi scusi se non mi sono ancora presentato» disse. «Diego».

Barbara teneva le mani ancorate alla porta socchiusa: dietro l'uscio nascondeva le gambe nude e le comode culottes che indossava in casa. Allungò una mano e strinse senza entusiasmo quella dell'uomo.

«Lo so come si chiama» disse.

«E lei? Qual è il suo nome?».

«Barbara. Mio marito non gliel'ha detto?».

«Certo».

Si studiarono per qualche secondo. Dalla maglietta di Diego si diffondeva una lieve fragranza di erba e olio minerale, come se avesse passato la prima parte della mattinata a occuparsi della manutenzione di un decespugliatore.

«Che altro le ha raccontato?» chiese Barbara, senza sapere bene perché.

«A proposito di cosa?».

«Di noi. Della sua famiglia».

Diego scrollò le spalle.

«Il ragazzo sull'albero è il figlio timido, studioso e appassionato di astronomia» disse, girandosi di tre quarti verso il cortile dei Lenci. «Mentre lei è la moglie logopedista, amabile e vegana».

«Amabile?».

«Ha detto così».

«D'accordo. Ma non creda che "amabile" significhi "sempre e comunque amabile"».

«Non lo farò. Però mi permetta di chiederle perché ce l'ha con me, se non mi conosce neppure».

«Diciamo che mi basta quello che ho sentito finora».

«E sarebbe?».

«Le sue teorie».

«Teorie? Quali?».

Barbara ebbe un attimo d'incertezza. Si rese conto solo in quel momento che quasi tutta la sua gamba destra sporgeva dalla porta: l'uomo aveva scoccato una rapida occhiata alle mutandine avorio che ammiccavano su un fondale di bianca coscia nuda.

«Ho l'impressione» si decise «che lei stia cercando di convincere mio marito che... che... che la violenza non sia di per sé sbagliata».

Diego socchiuse gli occhi. A quel punto Barbara era certa che stesse per ricordarle come fosse stata proprio una dose controllata di violenza a interrompere l'imbarazzante situazione in cui lei e Tommaso erano incappati un mese prima.

«Davide mi ha detto che lei è vegana da quasi cinque anni» disse invece l'uomo.

«Sì».

«Come mai, se non sono indiscreto?».

«Perché vuole saperlo?».

«Semplice curiosità».

«Non vedo perché dovrei parlarne con lei».

«Non fa niente allora. Non ne parli».

Barbara aggrottò la fronte. Inalò profondamente, senza smettere di fissare Diego.

«Be', c'è più di una ragione» disse alla fine. «L'amore per gli animali. Evitare i danni di proteine e grassi saturi».

«Mi sembrano due ottimi motivi».

«Senza trascurare tutti i problemi legati agli allevamenti intensivi» continuò bruscamente lei. «Lo spreco di risorse idriche e l'inquinamento delle falde acquifere. L'uso del settanta per cento dei terreni agricoli allo scopo di produrre foraggio per animali invece di prodotti destinati al consumo umano. Per non parlare dei gas serra emessi da centinaia di milioni di capi di bestiame».

Si rese conto di aver assunto un tono didattico del tutto inappropriato, e si diede della stupida per aver esposto le sue idee a uno sconosciuto che non aveva alcun interesse presumibile ad approfondirle.

«Tutte ottime ragioni» commentò invece lui. «Ma se dovesse sceglierne solo una? Tutelare l'ambiente? Proteggere la propria salute? O rispettare la vita degli animali?».

Barbara diede una rapida e quasi involontaria occhiata a Fred Flintstone, che seguiva la conversazione sdraiato sul legno tiepido della veranda.

«L'amore per gli animali, vero?» disse lui.

«E se anche fosse?».

Diego sollevò leggermente la tesa del suo cappellino.

«Lo sa che la transizione da una dieta di piante e radici a quella carnivora ha prodotto una spinta evolutiva fondamentale al nostro cervello? In pratica, non saremmo diventati ciò che siamo se non avessimo cominciato a nutrirci di altri esseri viventi».

Barbara notò ancora una volta quanto fosse insolita, la faccia che aveva davanti.

«Cacciare animali è una faccenda ben diversa dal raccogliere frutti e semi» proseguì Diego. «I nostri progenitori non erano abbastanza veloci da catturare un'antilope o una lepre, e dovettero ideare tecniche di accerchiamento, costruire armi da lancio o trappole. I loro cervelli furono costretti a svilupparsi quanto nessun'altra sfida quotidiana li aveva mai obbligati a fare prima».

Posò una mano sullo stipite.

«In sostanza, l'uomo non avrebbe mai avuto le risorse necessarie a elaborare le raffinatissime dottrine scientifiche o filosofiche che ne hanno caratterizzato la storia, incluse le ammirevoli speculazioni sull'etica della non violenza, se dall'alba dell'evoluzione non avesse ucciso miliardi di creature per cibarsi della loro carne».

Barbara soffiò lentamente aria dalle narici.

«E questo cosa dovrebbe dimostrare?» chiese.

« Nulla » rispose lui. « O forse solo che capita, ogni tanto, di arrivare a destinazione attraverso strade impreviste ».

Barbara guardò con ostilità la mano sinistra sullo stipite, come per intimare all'uomo di toglierla da lì.

Diego obbedì.

« È stata una chiacchierata interessante... » disse lei a quel punto, accostando la porta di una decina di centimetri, flettendosi verso lo spiraglio superstite come se qualcuno stesse trascinandola dalla parte opposta « ma adesso devo proprio lasciarla. Dirò a mio marito che è passato ».

« Grazie » disse lui. « È stato piacevole anche per... ».

Barbara chiuse la porta senza dargli il tempo di finire.

Un'ora più tardi Davide la trovò alla penisola che beveva latte di soia. C'erano tre barattoli sul tavolo: malto, estratto di cicoria e crusca d'avena. Barbara li aveva mischiati al latte: più che giungere all'ideale integrità dello spettro nutrizionale, Davide sospettava che la moglie volesse sopprimere il sapore insostenibile del latte di soia puro.

« È passato a trovarti il tuo amico » disse lei.

« Amico? Chi? ».

« Il tuo nuovo maestro di vita. Dovevi proprio dirgli dove abitiamo? ».

« Veramente non gli ho detto nulla ».

« E allora che ci faceva qui? E alle otto del mattino? ».

« Non ne ho idea. Che c'è per colazione? ».

« Colazione? A quest'ora? Tu? ».

« Ho fame ».

« Pane di segale ».

« Ottimo ».

Barbara si alzò. Davide le guardò il sedere e si chiese se avesse accolto Diego in mutande. Lei prese dalla credenza il pane, ne tagliò due fette, le spalmò di marmellata e si avvicinò a suo marito per versargli il caffè d'orzo.

« Non è il tipo da appuntamenti » disse Davide. « Non

crede nel tempo. Non vuole essere succube di qualcosa che non esiste».

Lei rimase con il bricco a mezz'aria.

«Cos'è che non esiste?».

«Il tempo. Inteso come successione di attimi».

Barbara posò la caraffa sul tavolo.

«Che idiozia sarebbe questa?».

«Io non definirei "idiozia" uno dei cardini della teoria della relatività generale».

«Ah... capisco. Uno frequenta per un paio di settimane le scuole serali, s'imbatte in un'astruseria del genere e ne deduce che può presentarsi in casa d'altri alle due del mattino».

«Mi pareva di aver capito alle otto».

«Si vede che non è uno stupido,» disse Barbara «ma che altro mi sai dire di lui? Come si guadagna da vivere? È la pecora nera di qualche famiglia altolocata? Ce l'ha uno un accidente di cognome? Un'ascendenza? È orfano? È sposato? Ha figli?».

Davide prese una fetta di pane e se la portò alla bocca. Masticò la segale – con quale diritto la chiamavano pane? –, sulla cui superficie era stato applicato un consistente strato di confettura biologica di susine. SENZA ZUCCHERI AGGIUNTI, lesse sul barattolo: assimilò l'informazione approvandola con ampi cenni del capo, in attesa che il suo povero cervello, ottenebrato da un sonno confuso e malevolo, fornisse un pretesto credibile alla prolungata privazione d'informazioni cui aveva costretto sua moglie.

«Quindi?» lo incalzò lei. «Hai detto che non ha un vero lavoro, ma in qualche modo dovrà pur vivere. Cosa fa? Qualcosa ai limiti, vero? L'esattore per un usuraio? Lo spezzapollici prezzolato?».

«No» disse lui, preparandosi a vuotare il sacco partendo dal dettaglio più improbabile.

Guardò intensamente sua moglie.

«È una specie di monaco».

19

«Il mio vero nome non ha importanza, così come il luogo dove sono nato e cresciuto. Non molto lontano da qui, comunque.

«I miei sono morti quando avevo quattordici anni, dopo un matrimonio che nemmeno il più ostinato degli ottimisti avrebbe definito tranquillo. Litigavano in continuazione. Probabile che stessero discutendo anche quando mia madre perse il controllo dell'auto, precipitando dal viadotto di una superstrada a metà di una fredda notte di gennaio. Il corpo di papà venne ritrovato sul greto del fiume che scorreva lì sotto. Mia madre fu trascinata dalla corrente, agonizzante ma viva. Aveva tutte e due le braccia rotte e non riuscì a raggiungere la riva. Il suo cadavere fu recuperato a dieci chilometri di distanza, due giorni dopo.

«Mio padre soffriva di nocicezione uditiva cronica, una forma d'iperacusia provocata dall'esposizione professionale al rumore. Aveva lavorato in un aeroporto per ventidue anni come addetto di supporto a terra: i dottori dissero che per le delicate fibre nervose della coclea la pressione dei motori a reazione era persino più dannosa del rumore. A cinquantadue anni ottenne la pensione anticipata: passò i successivi tre a rendere la vita impossibile a sua moglie. Quando era nervoso cercava di non alzare la voce: lui e mia madre avevano sancito una specie di patto inespresso, secondo il quale il livello sonoro delle discussioni si sarebbe tenuto entro un limite accettabile di decibel, per non favorire mia madre mettendola in condizione di abbreviare la contesa alterando a forza di strilli i fragili equilibri dei timpani di papà. Il risultato, comprensibilmente *sui generis*, fu che per tutta l'infanzia mi toccò assistere a litigi allestiti in una *mise en scène* surreale di sussurri, occhiate sulfuree, gestualità ridondante e mimica facciale esasperata, il tutto proteso a surrogare la selvaggia efficienza di grida e ululati.

« Una volta o due vennero persino alle mani. Fu naturalmente mio padre a cominciare. Riconosco a sua discolpa che non deve essere facile sfogarsi comprimendo la rabbia entro un certo livello sonoro. Mamma rispettava gli accordi persino mentre veniva pestata, reagendo a ogni colpo con lievi gridolini ammortizzati. Papà era follemente geloso. Mentre la picchiava la accusava di intendersela con uno dei colleghi dell'agenzia immobiliare in cui lavorava.

« Mi sconvolse vederlo alzare le mani, ma non cercai di fermarlo. Era troppo robusto, troppo furioso e troppo poco incline al ripristino immediato di un minimo di ragionevolezza. Questo, almeno, è ciò che mi dicevo per giustificare la mia inerzia. Ma la verità è che una parte di me era stata irretita dalla violenza fisica, dalla sua autorità primitiva, dal suo potere quasi cultuale. Lo shock fu amplificato dal fatto che prima di quel momento non avevo mai visto nessuno fare a botte. Mia madre, forse per bilanciare le conseguenze psichiche della conflittualità domestica, esercitava un controllo assoluto sui programmi cui avevo accesso alla TV, tanto che fino a dodici anni non vidi una sola scazzottata, duello all'arma bianca o sparatoria: ogni film o telefilm era sottoposto a un'accurata censura preventiva. Ovviamente avevo perso in fretta ogni interesse per la televisione, uno dei pochi retaggi della mia travagliata infanzia di cui non ho motivo di lamentarmi.

«Naturalmente mi era capitato di imbattermi in piccole zuffe scolastiche, che contemplavo nella stessa impassibilità con cui assistevo alle tragiche pantomime quotidiane in famiglia. Ma, altrettanto ovviamente, fra una disputa di bambini e un pestaggio tra adulti c'è lo stesso dislivello emozionale che nell'immaginario sessuale separa un'impollinazione da un porno.

«Dopo la morte dei miei andai a vivere con lo zio materno, sua moglie e i due figli. La piccola Elisa aveva solo quattro anni; Rocco ne aveva sedici, ed era un delinquente agli esordi. Rubava soldi o piccoli oggetti ai vicini, dei quali carpiva la fiducia offrendosi per lavoretti saltuari, spacciava hashish ai ragazzi del liceo, taccheggiava nei negozi. Quasi tutto quello che guadagnava lo spendeva in una specie di bisca cinese a due passi dallo stadio.

«I suoi genitori non sospettavano di nulla. Rocco frequentava l'oratorio del quartiere e aveva un curriculum scolastico di prim'ordine. In camera aveva una grossa libreria piena di fumetti e romanzi ed era un discreto illusionista, abile soprattutto nella manipolazione di carte e monete, allusione nemmeno troppo velata alla sua inclinazione al raggiro. Diceva sempre di voler essere intelligente e cattivo, conformandosi al noto aforisma di Puškin secondo il quale una persona buona può essere stupida e tuttavia rimanere buona, ma una persona cattiva non può assolutamente permettersi di non essere intelligente: autodenuncia a cui non diedi mai troppo credito. Rocco cercava solo di convincersi che, in un mondo così pericoloso, conveniva ottenere il prima possibile una scansione di tutte le asperità del proprio carattere per potersi aggrappare, qualora fosse stato necessario, a ognuna. Mi prese subito in simpatia, forse a causa del fardello di traumi familiari culminati in spettacolare tragedia che avevo deposto ai piedi del suo intelletto, sempre avido di cartografare le ruvide asprezze dell'esperienza umana, ma non pretese mai di introdurmi ai suoi traffici, né mi impose una complicità che implicasse molto più dell'assoluto riserbo su quanto mi confidava. Rocco mi insegnò parecchio sulla rabbia e sulla violenza, e su come usarle per raggiungere un obiettivo. Una notte fu aggredito da un gruppo di cinesi, scagnozzi della bisca che frequentava. Fu pestato con la spettacolare perizia degli orientali, specialisti nell'arte metodica di infliggere un dolore talmente immaginoso da sembrare privo di connotazioni astiose. Lo colpirono sulle scapole, poco sopra il diaframma, fra le costole fisse e quelle fluttuanti, sugli epicondili del gomito, sulle tibie, sui malleoli. Non sfiorarono neppure il viso, le mani e le parti molli, per non lasciare tracce oltremodo visibili o rischiare che da un colpo troppo intenso germinassero emorragie interne e domande pericolose: si limitarono a un lascito apparentemente indulgente di piccoli lividi regolari in zone facilmente occultabili. Segni che però, entro le successive dodici ore, sincronizzarono i rispettivi supplizi in un'orbita di lancinante dolore diffuso, assicurando a Rocco un'intera notte di strazianti meditazioni sui molteplici significati della sofferenza.

«Rimase dolorante e intontito per il resto della settimana. La notte di quel sabato chiese un prestito ai suoi fornitori di fumo, una coppia di portoricani, garantendo loro che avrebbe estinto il debito lavorando gratis per i sei mesi successivi: poi si recò alla bisca per risolvere la questione con i suoi creditori. Dopo quella visita lo sentii pronunciare un imponente broccardo sulla fatuità della vendetta, che a suo dire non aveva molto senso: non serviva a cancellare il dolore fisico, né quello psichico, se non concedendo un breve sollievo all'umiliazione, peraltro immediatamente offuscato dal timore di una prevedibile controrappresaglia.

«Qualche mese dopo mi capitò di origliare una conversazione tra i miei zii, che commentavano l'esito dell'indagine giudiziaria sulla morte dei miei genitori. Appresi sgomento che la dinamica dell'incidente sembrava configurare, più che una sciagurata distrazione o una fatalità, un salto follemente predeterminato oltre il guardrail.

«C'erano due testimoni, secondo i quali l'auto aveva puntato la barriera accelerando in prossimità della curva. Considerato che l'autopsia aveva escluso malori cardiaci o cerebrali, era praticamente certo che mia madre avesse semplicemente deciso di porre fine ai suoi tormenti nel modo più rapido. Fu lì, nella piccola cucina di quella casa, che mio zio, con i gomiti sul tavolo e la testa tra le mani, proruppe in una disperata e singolarmente speculare elegia della vendetta: ciò che sua sorella aveva inflitto al marito non era altro che la sacrosanta espiazione di colpe lunghe quanto il matrimonio stesso.

«Ne presi atto.

«Ma nello stesso momento, in piedi a metà scalinata, con le braccia lungo i fianchi e il cuore dilaniato, trovai il nesso radioso e compiuto tra le parole di Rocco e la scellerata decisione di mia madre.

«La vendetta non era una cosa buona.

«La violenza aveva un senso. Forse anche la rabbia.

«Ma la vendetta mi aveva privato dei genitori.

«Come potevo dimenticarlo?

«All'inizio di dicembre Rocco fu beccato dalla polizia con cinque grammi di erba e indagato per spaccio. Evitò il carcere solo grazie alla minore età, avendo egli ipotizzato, quasi certamente a ragione, che i suoi complici non avrebbero condiviso certe teorie illuminate sulla vacuità della vendetta, se avesse fatto i loro nomi. Quindi si risolse ad affrontare senza attenuanti l'ondivago rigore della legge italiana.

«Suo padre si rivolse a un avvocato di fama, poi disse a Rocco che l'avrebbe tirato fuori dai guai solo per infilarlo in un problema di gran lunga peggiore: le esuberanti sanzioni che si preparavano a infliggergli i suoi genitori. Il giudice decise che la strategia difensiva a base di fedina penale immacolata, curriculum scolastico impeccabile e perizie psichiatriche insinuanti una commistione d'immaturità e desiderio di attenzione, infiocchettata da una febbrile arringa sulla latitanza di etica prodotta dalla degenerazione occidentale dei valori, era sufficientemente spudorata da risultare credibile: Rocco fu condannato a sei mesi con la condizionale. Quanto alle minacce paterne, furono derubricate al freddo risentimento che mio zio ostentò nei suoi confronti per mesi, mentre l'amarezza di mia zia, già ampiamente ridimensionata dalle angosce legali, si dissolse in calde lacrime di sollievo appena la sentenza certificò che il suo primogenito non avrebbe passato un solo giorno in un istituto di correzione minorile.

« La vicenda non alterò di mezzo grado la deriva mefistofelica di Rocco: servì solo a renderlo significativamente più accorto. Trascorse buona parte dei mesi seguenti a rendermi partecipe delle idee che gli erano venute per rendere i suoi traffici meno visibili.

« Dalle sue traversie ricavai un insospettabile vantaggio. L'istinto paterno di mio zio, dimezzato da collera e delusione, si scavò un rapido accesso verso il nipote, il piccolo orfanello dall'aria tetra che non guardava mai la TV. Fu il periodo delle pacche di soddisfazione per il buon esito dei miei test scolastici, o dei piccoli vantaggi supplementari come il raddoppio della paghetta settimanale e mezz'ora aggiuntiva di libera uscita il sabato pomeriggio. Mio zio gestiva un grosso supermercato, e appena compii sedici anni mi assunse come garzone per la stagione estiva. Mi affidò un vecchio motorino e mi spedì a recapitare pacchi di spesa agli anziani del quartiere. Due anni dopo m'infilò in una Panda ancor prima che finissi di prendere la patente, ampliando il mio raggio d'azione agli altri quartieri e alle campagne circostanti.

« Rocco, nel frattempo, si era iscritto all'università, trasferendo le sue magmatiche teorie e le redditizie attività collaterali in una grossa città del Nord. Andandosene mi aveva affidato la sorellina, regalato un mazzo di carte truccate e proposto di prendere il suo posto come terminale dei traffici locali di droga leggera.

«Non ci pensai due volte. Non che avessi particolari necessità di arrotondare gli introiti da fattorino: sentivo solo il bisogno di coltivare il mio lato oscuro.

«Grazie all'eroica reticenza davanti a giudice e inquirenti, Rocco si era guadagnato sufficiente autorevolezza da intercedere in mio favore presso i suoi fornitori portoricani. Poco prima di partire mi presentò ai due fratelli, o forse cugini, che gestivano lo spaccio in quella zona. Erano due ragazzotti poco più che ventenni, magri e butterati, con i modi rilassati appena intrisi della punta di affiorante paranoia tipici del consumatore abituale di hashish. Li avvertii che il mio impiego era da intendersi a tempo rigorosamente determinato, e loro non fecero obiezioni.

«Spacciare non servì a stanare gli insetti dai nidi setosi della mia latente follia. Non riuscivo ancora a perdonare mia madre per aver ucciso se stessa e mio padre – e odiavo mio padre per non averle dato altra scelta.

«I miei clienti abituali erano ragazzini di buona famiglia che ambivano alla disinvoltura sufficiente per dichiararsi alla compagna di banco, quindicenni con tagli alla moda che non questionavano mai sul prezzo e tiravano fuori i soldi dai loro portafogli firmati, dono dei nonni per la cresima o la promozione.

«Dopo il primo mese m'iscrissi a un corso di kung fu.

«A metà del primo anno chiesi ai portoricani di assegnarmi allo spaccio di crack e cocaina in quartieri meno somiglianti all'utopia di un urbanista illuminato. Il mio obiettivo era confrontarmi con gente poco raccomandabile, individui con parecchio denaro e scrupoli in proporzione inversa, ai quali opporre la mia nuova espressione da duro e i bicipiti in espansione. Volevo inserirmi nel mondo degli ex galeotti, dei sicari di bande rivali, dei tossicomani all'ultimo stadio, degli etilisti inveterati e di tutta la feccia alienata che imbratta il lato notturno della civiltà metropolitana. Ma quello che trovai furono giovani laureati con Tod's, jeans Cavalli e Motorola StarTAC, in cerca di sollievo dal tormento di carriere predeterminate nel grigiore delle aziende di famiglia – gente la cui suprema idea di violenza era torcere i capezzoli delle fidanzate sui sedili posteriori della Mercedes di papà.

« Iniziai a cercare la rabbia sulla faccia illuminata del mio satellite professionale. Il lavoro di fattorino era perfetto. Se vuoi un pretesto per litigare, non c'è nulla di lontanamente paragonabile al guidare nel traffico di una grande città. L'automobile è un oggetto di oscena sacralità, uno splendido catalizzatore d'impulsi primari, emblema del compimento definitivo di una disumanizzazione in atto da secoli. Schiacciata tra la pressione interna degli istinti di sopraffazione e l'esoscheletro di metallo, la personalità deborda dai confini imposti dalle convenzioni e invade ogni centimetro della carreggiata. È una sensazione quasi inebriante.

« Cominciai a tamponare gli altri automobilisti. Piccole incursioni nel lato oscuro della convivenza stradale: urti di modesta entità e danni proporzionalmente limitati. Mi precipitavo fuori dall'auto, imprecando e attribuendo colpe immaginarie, augurandomi di dover ribattere alla vibrante indignazione di giovani maschi ormonali: ma tutto quello che ottenevo era la ragionevole opposizione di individui pronti a comprendere e perdonare, in nome del quieto vivere sovrinteso da Santa Madre Assicurazione. A quel punto mi ammosciavo: disinnescavo le velleità di conflitto e mi offrivo di risarcire il danno in contanti, fingendomi un carrozziere per rendere la valutazione pressoché inattaccabile. Lasciavo il numero di cellulare e anticipavo una cifra risibile, sperando che qualcuno mi chiamasse per chiedere conto del resto e permettermi così di esibire il residuo della mia rabbia abortita. Ma nessuno chiamava mai.

«Non avevo ancora capito nulla.

«L'ossessione per la violenza stava diventando così assillante da sfociare in un venefico desiderio di vendetta. Nei miei angosciosi dormiveglia fantasticavo di torturare gli ignoti artefici dei crimini orribili di cui leggevo sui giornali. Appendevo a testa in giù un seviziatore di bambini per accendergli un fuoco sotto la testa. Spruzzavo acido muriatico negli occhi di un uxoricida. Fracassavo a martellate le mani di un truffatore di anziani. Cospargevo di cibo per cani l'uccello di un violentatore e lo lasciavo, legato e a gambe aperte, alle cure di un Dobermann a digiuno.

«Di giorno cercavo di ripetermi che la vendetta non era una cosa buona, che se non avessi imparato a gestire il rancore mi sarei presto infilato nei guai.

«Cominciai a leggere libri sull'arte della tortura.

«Una notte d'estate litigai con il buttafuori di un club di lap dance che mi aveva sorpreso a rifornire di pillole un cliente. Mi prese per la maglietta e mi trascinò nel parcheggio. Era un uomo alto e pesante, e come tale indotto a credere che la tecnica di lotta più efficace si basasse su scoppi fulminei e incontrollabili di brutalità.

«Cominciò a insultarmi. A insinuare che mi piaceva succhiarlo. A fare le classiche allusioni alla legittimità della mia nascita: mio padre era un frocio e mia madre una puttana.

«Io non rispondevo, occupato com'ero a vivisezionare natura e intensità delle mie reazioni. Terminati i preliminari verbali, propedeutici alla sua stessa eccitazione, l'uomo mi si scagliò addosso senza nemmeno proteggersi il viso, forse convinto che la spettacolare definizione delle mie braccia fosse in realtà la vascolarizzazione macilenta di un tossico all'ultimo stadio. Mi sferrò un diretto che schivai senza problemi. Agile com'ero, scartai di lato per colpirlo con un gancio alla mandibola. L'uomo barcollò, sorpreso dalla rapidità del colpo. Avrei avuto il tempo di colpirlo una seconda volta, stenderlo e chiudere pietosamente la questione, ma volevo saperne di più.

«Sul suo conto e sul mio.

«Indietreggiò alzando le mani davanti al volto, in una patetica parodia di guardia mutuata dalle sue esperienze di spettatore televisivo. Poi avanzò con una certa prudenza. Se avesse saputo chi aveva davanti, avrebbe capito qual era l'unica forma di prudenza appropriata: scappare a gambe levate.

«Stavolta non attesi che tentasse di colpire. Lo feci girare in tondo per un bel po', centrandolo senza fretta, con rapide incursioni di destro e sinistro, incrinando costole e contundendo tessuti molli. Dopo cinque minuti grondava sudore e disperazione. Un livido di dimensioni terribili gli decorava lo zigomo sinistro. Conclusi affondandogli il sinistro nel fegato e spaccandogli un'orbita con una gomitata.

«Piombò a terra su un solo ginocchio, boccheggiando.

«Abbassai le braccia, frapponendomi tra la sua figura genuflessa e la luce del lampione. Ero sopra di lui, un fagotto di ombra e violenza, l'incarnazione di Marte, Odino o qualunque divinità guerriera che condividesse il mio sprezzo per gli epiloghi privi di una violenza orrenda e sanguinosa.

«M'implorò di smetterla.

«"Basta" disse. "Ti prego".

«Per tutta risposta gli sferrai un calcio al petto che lo spedì lungo disteso. Lo vidi posarsi le mani sul cuore, nella buffa parodia di uno spasimo amoroso.

«Mi misi a cavalcioni su di lui, le chiappe sul plesso solare, bloccandogli le braccia con le ginocchia. Gli piazzai la mano sinistra sulla bocca.

«Le parole uscirono da sole.

«"Sai qual è il tuo problema?" gli dissi. "Hai usato male il Potere. Il Potere si è impossessato di te e ti ha trasformato in un pericolo".

«Lui mugolò qualcosa.

« "È solo questione di tempo prima che tu faccia davvero male a qualcuno" continuai. "Sappi che sono qui per impedirtelo. Dopo che avrò finito, non permetterai più al Potere di abusare di te. Sto per trasformarti in una persona diversa".

« Gli infilai indice e medio di una mano nelle narici. Chinai la testa sulla sua e lo fissai.

« "E credo proprio che comincerò a cambiarti da qui" dissi.

« Non tentò nemmeno di divincolarsi, soggiogato dalla maniacalità del mio sguardo almeno quanto dalla sconcertante eterodossia del trattamento che stava subendo.

« La mia intenzione era di squarciargli le narici con uno strappo secco: dai brandelli dei tessuti nasali, riccamente capillarizzati, sarebbe sgorgato un fiume di sangue. L'avrei sfigurato per sempre: nessun luminare della rinoplastica avrebbe saputo come rimediare.

« Ma a quel punto accadde qualcosa.

« Tentennai.

« Ebbi il sospetto che a dominarmi fosse il Potere, e non il contrario.

« Che il desiderio di vendetta fosse in agguato.

« L'uomo percepì la mia esitazione, il calo irreversibile di tensione dei flessori delle dita. Una lacrima di sollievo, o di gratitudine, gli sgorgò dall'occhio sinistro.

« Tolsi dita e mano dal suo viso. Mi pulii la punta di indice e medio sulla sua camicia, con gesti lenti e calcolati, senza smettere di fissarlo.

« Poi mi alzai e scomparvi nella notte.

« Il giorno dopo dissi ai pusher portoricani che avevo combinato un guaio con un buttafuori e mi sarei eclissato per un po'. Convennero che non era una cattiva idea.

« A casa, dissi agli zii che mi sarei preso un paio di mesi per girare il mondo. Le mie responsabilità professionali erano cresciute, e ormai non c'era dipendente del supermarket che non mi considerasse il delfino designato; nondimeno, mio zio approvò senza discutere. Disse che ventidue anni era l'età giusta per mettere il naso fuori dal nido, e il giorno dopo versò sul mio conto ottomila euro, intimandomi di non tornare finché non li avessi spesi tutti. Ovviamente ignorava che i proventi delle mie attività notturne mi avevano permesso di accumularne almeno il quadruplo.

«Ma non erano i soldi il problema.

«Presi un aereo per Città del Messico, con l'intenzione di introdurmi in qualche modo nei canali del narcotraffico centroamericano: volevo venire a contatto con gente di pericolosità impensabile alle nostre latitudini.

«Prima ancora di aver sorvolato metà Atlantico avevo già realizzato quanto fosse stupida la mia idea. Decisi di girovagare per il Centroamerica senza programmi precisi. Un giorno mi ritrovai al seguito di una comitiva di turisti in mezzo alla foresta. La guida disse che il tempio davanti a noi era stato consacrato a Xipe Totec, divinità azteca della primavera: il suo nome significava "Nostro Signore lo Scorticato". I sacerdoti gli tributavano orribili sacrifici, scuoiando vivi i prigionieri per indossarne la pelle, mentre intonavano peana nasali alle fredde stelle. Vidi una donna bionda, grassa e vestita come un esploratore delle savane posarsi una mano aperta sulla bocca, quasi a impedirsi di esprimere disappunto per i discutibili canoni di abbigliamento dei sacerdoti mesoamericani. Guardarla mi fece pensare a cosa si provasse a scorticare vivo un uomo.

«Pensai al martirio di san Bartolomeo. Pensai a Ipazia, la filosofa alessandrina, smembrata a mani nude da fanatici cristiani. Pensai a Marcantonio Bragadin, rettore veneziano della roccaforte di Famagosta, che aveva resistito per quasi un anno all'assedio ottomano e fu oscenamente mutilato di naso e orecchie prima di essere scuoiato vivo. Pensai alle torture nordcoreane e a quelle kiowa, o lakota. Pensai alle sevizie dei militari giapponesi durante la guerra con la Cina del '37. Pensai a come tutte le tirannidi della storia avessero frainteso il senso del loro immenso Potere.

175

« Il giorno dopo lasciai il Messico. Visitai Cile, Brasile e Argentina. Poi attraversai il Pacifico per entrare in Vietnam e Cambogia. Avevo intenzione di toccare ogni regione del mondo dominata da una dittatura politica, una specie di pellegrinaggio lungo i santuari del dispotismo internazionale: ma a Pechino, davanti al mausoleo di Mao, mi resi conto che l'idea era persino più irrealizzabile del balordo gemellaggio con i narcos messicani.

« Sulla strada di casa mi fermai a Mosca e visitai il Cremlino. Poi mi spostai a Minsk e vidi il Palazzo dell'Indipendenza. Infine presi un aereo per Kiev, dove sborsai milleduecento rubli per visitare la zona di esclusione tra Prypjat' e la centrale: l'obiettivo era rendere omaggio agli ultimi dittatori sovietici della storia – Putin, Lukashenko e il reattore numero quattro di Černobyl'.

« Le ultime settimane le passai tra Bucarest, Berlino, Monaco, Vienna e Madrid.

« Avevo detto a mio zio che sarei rimasto fuori un paio di mesi: tornai in Italia che ne erano passati quasi diciannove.

« Dieci giorni dopo avrei compiuto ventiquattro anni.

« Avevo viaggiato per migliaia di chilometri, cercando la compagnia degli individui più subdoli e pericolosi di mezzo mondo. A Salvador de Bahia avevo fatto a botte con un campione locale di capoeira: solo quando ci bevemmo su, in un bar sul lungomare, scoprii che il mio avversario aveva dodici anni. A Buenos Aires mi ero beccato una coltellata a una gamba da un nano dopo un combattimento di cani. A Vientiane una prostituta mi aveva staccato a morsi un pezzo di orecchio perché avevo continuato a fotterla con il preservativo rotto. In queste e in altre occasioni, persino più pericolose, non avevo mai avuto l'impressione di perdere il contatto con il mio Potere, né di smettere di percepirne la prossimità con quello del mio aggressore. Io e il mio aspirante carnefice, che lo sapesse o meno, eravamo affratellati dalla stessa primordiale, sobbollente entità

176

che il resto del mondo cercava invano di inumare sotto la stele della civilizzazione.

«Mio zio lodò la mia capacità di economizzare: aveva previsto che i soldi mi sarebbero bastati a malapena per quattro mesi. Mentii, dicendogli che in parecchie città avevo fatto lavoretti saltuari.

«A quel punto gli confidai che volevo iscrivermi all'università, e lui acconsentì con insospettabile sollecitudine. Poi mi raccontò che circa due anni prima, qualche giorno dopo la mia partenza, tre grossi tizi dall'aria pericolosa erano entrati nel supermercato: uno di loro, il meno neandertaliano quanto a modi e aspetto, gli aveva chiesto dove fossi.

«Lui pensò che se gli avesse detto la verità non avrebbero potuto fare altro che andarsene.

«Aveva ragione.

«A quel punto mio zio si avvicinò e mi posò una mano sulla spalla. Disse che aveva l'impressione che due anni non fossero sufficienti a separarmi definitivamente dalle pretese di tizi come quelli, ma che un altro lustro fuori città, forse, poteva scavare un solco abbastanza profondo da seppellirci tutto quello che mi ero lasciato dietro prima di partire.

«"Sei una persona diversa ora, vero?" mi chiese guardandomi fisso.

«"Sì" risposi».

«Rocco si era laureato in economia e lavorava a Milano: l'unica condizione posta da mio zio fu che non lo raggiungessi. Forse mi considerava l'inconsapevole reagente delle inaspettate evoluzioni criminali della personalità di suo figlio, e aveva paura di un'analoga reattività qualora ci fossimo ritrovati. O forse paventava che i miei temibili inseguitori mi avrebbero scovato, prima o poi, e non voleva che Rocco finisse per interpretare il ruolo dello sfortunato fideiussore dei debiti altrui. La sua era l'atavica prudenza delle madri israeliane, che nei periodi più disumani del conflitto palestinese mandavano i figli a scuola su autobus diversi per non rischiare di perderli tutti in qualche esplosione.

«Andai a Pisa a studiare biologia. Mi laureai con un anno di ritardo e per un po' lavorai in un'azienda di certificazione di prodotti naturali. Tre anni dopo mi spostai a Lucca.

«Per qualche mese vissi degli antichi proventi da attività illecite, ormai ridotti a poche migliaia di euro, quindi trovai lavoro in un negozio di alimenti per animali. Non avevo ancora perdonato i miei genitori, e ogni tanto mi succedeva di pensare alla sensazione che avrei provato a scorticare vivo un uomo. Avevo conservato, e se possibile persino affinato, quella peculiare attitudine al sollecito rinvenimento di vizio e violenza negli angoli più impensati delle città, come se un contatore Geiger intracranico mi guidasse gracchiando fino ai luoghi più sordidi e pericolosi dell'antimondo urbano. Un giorno autunnale, vorticante di foglie morte, vagai a lungo in periferia fino a ritrovarmi, non so nemmeno come, davanti a una porta. Bussai con una strana concitazione, perché volevo verificare l'insensata e improvvisa certezza che lì dietro ci fosse qualcosa di incredibilmente pericoloso.

«Mi aprì un uomo sui cinquanta, vestito di una strana uniforme, simile alla divisa di un fuciliere cinese. Aveva i capelli rasati, e l'aria rilassata di chi ha appena concluso una soddisfacente sessione di pratiche erotiche.

«M'invitò a entrare.

«Mi offrì del tè e parlammo per un po'.

«Mi disse che in quel luogo non avrei trovato ciò che cercavo, qualunque cosa fosse, a meno che non lo portassi già con me. Disse che non aveva senso tentare di comprendere l'intima natura del mondo prima di aver capito quale dei due piedi posare a terra appena ci si alzava. Disse che le virtù teologali di fede, speranza e carità suonavano metri-

178

camente bene, e che l'Antico Testamento, in generale, era piuttosto appassionante, pur scontando la mancanza di una trama coerente. Disse che lo Zen non mi avrebbe aiutato a capire ciò che ero se prima non avessi capito cos'era lo Zen, anche se non era completamente sicuro di non aver invertito la consecutività dei due assunti. Disse che non ci voleva un genio per rendersi conto che non ero arrivato fin lì lasciandomi guidare da spontaneità, semplicità, umiltà, allegria, serenità e smisurata compassione per ogni manifestazione del vivente, ossia gli attributi di una persona dedita a una pratica assidua e rigorosa: ma era altrettanto vero, continuò, che un antico detto zen recitava: "Andare un miglio a est significa andare un miglio a ovest", e che, per quanto lo riguardava, non aveva abbastanza senso dell'orientamento nemmeno per sapere dove diavolo fosse finito lui, figurarsi qualcun altro. Disse parecchie altre cose, alcune persino più strane di queste, e me ne andai pensando che non sarebbe stato male tornarci.

«E così il giorno dopo tornai. Mi sedetti su un cuscino rotondo insieme a un gruppetto di sconosciuti e rimasi in silenzio a contare i respiri, evitando di chiedermi se sarebbe mai servito a qualcosa.

«La noia divenne una compagna assidua e molesta, un cunicolo buio e profondo, pieno di asperità. Qualcosa dentro cui scivolare, rinunciando ogni volta a un pezzo di pelle.

«Alla fine di novembre andai a vivere lì.

«Da quel giorno sono passati quattro anni».

«Lo Zen non serve a fare di te un filantropo con un perenne sorriso da idiota. Lo Zen è una smagliatura sulla calza che offusca la telecamera puntata per ventiquattr'ore al giorno sulla tua realtà. E a un certo punto non puoi più levare gli occhi da quel piccolo strappo, perché da lì hai la terribile, inebriante sensazione di scorgere il riflesso di o-

gni ruga sulla tua vecchia, stanca faccia da viandante mille-
nario: il che, da quell'istante, ridurrà comprensibilmente
il tuo interesse per te stesso allo specchio. E questo è un
bene, perché allora potresti volgere lo sguardo altrove: e
se lo farai davvero, se riuscirai a distogliere l'attenzione
per il tempo sufficiente a capire che c'è altro all'infuori
del tuo volto, del tuo corpo, della tua personalità, del tuo
lavoro, dei tuoi amici e dell'insignificante porzione di tempo che il caso ti ha concesso, un giorno potresti ritrovarti a
fissare qualcosa di meglio.

« Qualcosa che accoglierai con uno smagliante, incredulo – e da quel momento perenne – sorriso da idiota.

« Qualcosa di simile al grottesco, zoppo, ululante e scorticato sembiante del tuo autentico te stesso ».

20

Tommaso aveva solo undici anni quando suo padre gli confidò che il numero insolitamente elevato di cani e gatti in giro per casa era giustificato solo in parte dall'amore genitoriale per gli animali (quello materno, ormai, nell'imminenza di deflagrare in un clamoroso radicalismo vegano), essendo più che altro subordinato alla volontà di proteggere la salute del loro primo e unico figlio. Davide aggiunse che il contatto tra le sue mucose orali e nasali e le particelle salivari ed epiteliali di cane e gatti aveva potenziato le risorse del suo sistema immunitario, moderando in proporzione i rimorsi materni per una non meglio specificata omissione avvenuta al momento del parto – omissione di cui riteneva opportuno procrastinare la condivisione dei dettagli a un momento abbastanza indeterminato nel futuro.

Aggiunse che, secondo autorevoli studi, la convivenza con animali domestici aumentava i livelli di un ormone chiamato ossitocina, e che alti livelli plasmatici di ossitocina denotavano un elevato livello di benessere psicofisico.

Ed era proprio agli animali di casa, a Tommaso e al proprio benessere psicofisico che Davide pensava avanzando a piccoli passi verso la station wagon blu scuro: al benessere che sentiva di aver cominciato a mettere a repentaglio da quando aveva corrisposto il miserevole obolo di otto euro e novanta centesimi al Pubblico Registro Automobilistico perché gli fosse svelata l'identità del proprietario della Focus che lo aveva seviziato quella fatidica notte di tre anni prima.

L'idea era stata di Diego.

«Va' a vedere chi è» gli aveva detto. «Va' a guardare in faccia l'uomo che ti ha spaventato così tanto. Va' a vedere dove vive, che lavoro fa. Va' a verificare se è così terribile e minaccioso come per anni hai creduto che fosse. Fissa negli occhi chi ti ha costretto a fare i conti con i limiti del tuo coraggio. Forse è il caso che lo ringrazi. Momenti come quelli non hanno prezzo, se ne esci vivo: sono una specie di check-up del tuo temperamento».

La Focus era a metà di via Borgo Giannotti, a due passi da una piccola edicola immersa nell'abbandono languido e ronzante dei pomeriggi estivi.

AT 802 VM, lesse Davide.

La targa era quella.

L'auto era intestata a Gianmaria Orlandini, ventisette anni, celibe. Abitava da solo in via Sercambi, ma lavorava dalla parte opposta della città.

Proprio in quell'edicola.

Davide si fermò a due passi dall'auto, cercando di elaborare un piano, ma il suo cervello continuava a distrarlo proponendogli visioni di gatti, cane e figlio, e a un tratto persino molteplici scorci di Barbara che esibiva la sua spigliata declinazione della nudità domestica, forse per convincerlo che c'erano incombenze più divertenti e produttive del rivangare vecchie e trascurabili questioni di traffico.

Da quanto tempo non faceva l'amore con sua moglie?

Almeno un mese, pensò mestamente.

Un grosso scoiattolo fece capolino dal ramo di un leccio

sul lato opposto della via. Le zampine stringevano al petto un tozzo di pane secco: si accorse di essere osservato e si dileguò tra le fronde con la fremente concitazione tipica della specie.

Davide si chiese come facesse uno scoiattolo a procurarsi cibo nel bel mezzo di una città. Come riuscisse ad accumulare una scorta sufficiente a scavallare il lungo letargo invernale, soprattutto.

Scoprì di non averne idea.

A quel punto si disse che il mattino successivo avrebbe dovuto dedicare qualche minuto alla morte per inedia di un piccolo roditore metropolitano, garantendogli così qualche mese supplementare di eroica sopravvivenza urbana.

Guardò a sud. La torre Guinigi spuntava dalla maestosa gorgiera di tetti della via.

Diede un'occhiata all'orologio e vide che erano passate da poco le tre. Tempo di agire, si disse.

S'incamminò lentamente verso l'edicola, chiedendosi, non certo per la prima volta, che faccia avesse il suo aguzzino.

La sera prima aveva tentato di saperne di più usando il profilo Facebook di sua moglie, ma l'unico Gianmaria Orlandini scovato era un anziano notaio di Capannori.

Chi si aspettava di trovare?

Il suo uomo aveva ventisette anni. L'età della palestra, degli eccessi alcolici, delle risse in discoteca, dello zaino in spalla, delle ragazze facili, dello zenit testosteronico.

Chi c'era nel gabbiotto di quell'edicola?

Un odiatore anonimo come milioni? Un ragazzone possessivo denunciato per stalking? Un capo ultrà?

Faccione tondo, capelli cortissimi, occhio bovino, spalle larghe? Chi era l'uomo che aveva rischiato una denuncia penale per la scarsa reattività di un imbranato al semaforo?

Davide si fermò dietro l'espositore di quotidiani stranieri, piegandosi di lato per scrutare all'interno.

Nel piccolo vano dietro le riviste vide un ragazzo magro

e occhialuto, che metteva in ordine dei fogli in un raccoglitore: quando si accorse dell'intruso alzò la testa.

«Buongiorno» disse Davide, facendo un passo di lato.

«Salve» rispose il ragazzo, tornando con lo sguardo alle sue carte.

Davide fece due passi nell'ombra invitante del gabbiotto, visibilmente perplesso. Poi si avvicinò al vano da dove il ragazzo, incorniciato dall'ampia apertura, continuava a interpellare e catalogare i suoi fogli. Finse di cercare una rivista studiando l'aspetto del tale di fronte a sé.

Era incredibilmente magro, constatò.

Al limite del denutrito.

Non aveva decisamente l'aria di un provocatore notturno. Possibile che una larva simile se ne andasse in giro a fomentare le imprevedibili reazioni degli sconosciuti?

Occhiali in policarbonato nero, camiciola di lino, collanina d'argento al collo, capelli ricci, orecchie a sventola.

Dal polso sinistro gli pendeva un braccialetto di corda.

L'aspetto vagamente stereotipato del compulsatore di incunaboli nelle sale private di qualche antica biblioteca.

A Davide venne da pensare che, se quella notte fosse sceso dall'auto, avrebbe potuto tranquillamente prenderlo per un orecchio (così inopportunamente abdotto, conforme allo scopo) e legarlo a un palo con lo stetoscopio per rifilargli un paio di salutari calci in culo.

No, si disse. Non è questa la persona che cerco.

Ma come poteva esserne sicuro?

Pescò dalla fila di riviste un mensile di compravendita di auto usate.

«È tua la Focus parcheggiata qui davanti?» chiese, sfogliandolo con noncuranza.

Il ragazzo alzò di nuovo la testa, con aria leggermente allarmata. La morbida cediglia di un ricciolo scuro gli scivolò sulla fronte.

«Sì» rispose. «Perché?».

«Può darsi che ne compri una simile da mio cognato» disse Davide. «Stesso modello e stessa età. Come ti va?».

«Cosa?».

«La macchina. Come va? Ti ha mai dato problemi?».

Il ragazzo ci pensò sopra per un po'.

«No» disse. «Fa un po' di fumo in accelerazione, ma secondo il meccanico non è nulla di che».

«Da quanto tempo ce l'hai?».

«Cinque o sei anni».

«È usata?».

«Sì».

«E consuma molto?».

«Direi di no».

«Da giovane avevo una Fiesta» disse Davide. «Buona macchina, anche se l'impianto elettrico mi dava qualche noia. Dicono sia tipico delle Ford. Quanti chilometri ha?».

«Più o meno duecentosessantamila».

«E la guidi solo tu?».

«Sì» disse. «Perché me lo chiede?».

Davide rimise la rivista al suo posto. La notte precedente non aveva quasi dormito, ma ora, al cospetto del suo antico aguzzino, si sentiva lucido e rilassato.

«Perché le auto sono oggetti bizzarri» mormorò, guardando fisso il suo interlocutore. «Catalizzano e assorbono strani impulsi, come feticci animisti. Presti la macchina a qualcuno, la guidi di nuovo tu, e ti sorprendi a fare qualcosa che non avresti mai immaginato di fare».

Il ragazzo s'infilò l'indice nel colletto della camicia.

«Qualcosa... tipo cosa?».

Davide scrollò le spalle.

«Fare a cazzotti per un parcheggio o una precedenza» disse. «O magari perseguitare un poveraccio che si è attardato al semaforo».

L'altro aprì lentamente la bocca.

«Cose che un bravo ragazzo come te non si sognerebbe mai di fare» continuò Davide. «Ho ragione?».

Nessuna risposta.

Davide posò le mani sul bordo superiore della rastrelliera e si sporse in avanti.

«Ho ragione?» ripeté.

Lui fece lentamente di sì con la testa.

«Bravo» disse Davide. «Cerca di essere prudente, perché in giro ci sono persone che faticheresti anche solo a concepire come reali. Gente che ha un rapporto talmente disinvolto con la parte peggiore di sé da lasciare a bocca aperta».

E qui si girò e raggiunse l'uscita a piccoli passi.

Prima di andarsene si voltò di nuovo per scandire un ultimo, torvo ammonimento, ma si accorse di non avere nulla da dire. La notte precedente aveva confusamente rimuginato una serie di chiose, lapidarie e autorevoli, ma in quel momento non ne ricordò nemmeno una.

Si grattò la fronte, visibilmente a disagio, poi uscì e s'incamminò verso la macchina.

Dieci minuti dopo era già a bordo. Si tolse gli occhiali e li appoggiò sul sedile del passeggero. Respirò a fondo, rilassò i muscoli e si posò indice e medio sulla carotide. Contò i battiti controllando i secondi sull'orologio da polso.

Novantanove.

Normale, si disse, considerata la camminata che l'aveva portato fin lì. Considerata la deriva inaudita cui aveva spinto la conversazione di poco prima.

Alzò la mano e ripeté l'operazione.

Ottantasette.

Bene, si disse, chiudendo gli occhi per lasciar defluire gli ultimi residui di adrenalina e senso di colpa.

21

« Una delle persone più pericolose che abbia mai conosciuto era la cameriera sessantenne di un ristorante tra Faenza e Forlì. Era alta un metro e mezzo e non credo pesasse più di quarantacinque chili, ma nessuno provava mai a contraddirla troppo a lungo. L'impressione era che, pur essendo con tutta evidenza sana di mente, avrebbe posto ogni scrupolo razionale in animazione sospesa se le fosse stato d'impiccio all'obiettivo di tagliarti le palle. Le persone come lei sanno d'istinto che se rifiuti qualcosa di così profondamente radicato in te, qualunque sia il capitello teorico della tua avversione, un giorno potresti ritrovarti indifeso davanti alle lusinghe di ciò che ripudi. Lusinghe, esatto. È la parola giusta. Perché uno degli aspetti più allettanti della violenza è proprio la sua apparente attitudine a eliminare i problemi in maniera rapida e definitiva. Pensa al suicidio. Pensa a tutti quelli che risolvono con l'assassinio di un figlio o del coniuge le loro infermità irreversibili. Pensa all'eutanasia, quel modo subdolo e astutamente eufonico di rimediare a una serie consecutiva di errori con l'errore peggiore di tutti. Quali errori, mi chiedi? Sei un medico: dovresti saperlo. Quelli che conducono progressi vamente un individuo sano e vitale a giacere in un letto d'ospedale, circondato da una sussurrante coalizione di dottori e gente amata che valuta tempi e modalità della sua spedizione al Nulla eterno. La verità è che abbiamo dimenticato chi siamo. Un vecchio cheyenne ha presentimenti della sua morte con settimane di anticipo, così, prima di ritirarsi nella foresta o nel deserto a cercare un contatto con la stessa entità che gli ha inviato il presagio della sua fine, ha il tempo di chiudere il proprio bilancio emotivo personale e dividere i suoi pochi averi tra i figli. Un privilegio di quelli che un tempo chiamavamo selvaggi: da quanto un occidentale non ha una vera relazione con la Natura? Porta il cane a passeggio nel parco, innaffia i gerani sul balcone e passa un paio di settimane al mare, in montagna o tra i camminamenti in legno dei laghi di Plitvice: ecco la sintesi del suo contatto medio annuale con il Creato. Il resto del tempo lo divide tra casa, ufficio, palestra, o con il culo a frollare sul sedile dell'auto. Ma poi, una volta o due nella vita, gli capita di fare quattro passi nei boschi e a un tratto, dal sublimine della sua memoria intracellulare, affiora la risonanza spettrale di un antichissimo se stesso che corre nudo su un sentiero appena visibile in una foresta senza tempo, con un coltello di selce tra le dita. Ci sono connessioni troppo profonde per essere recise. Perché, altrimenti, un uomo che doma un cavallo, guada un fiume o scala una parete di roccia solletica ancora certi istinti dentro di noi? Perché continuiamo a battezzare i nostri figli con nomi di antichi eroi? Enea, Paride, Ettore, Achille, Ercole. Infondiamo nel nome una specie di subdola aspettativa legata all'etimologia o al sostrato simbolico del nome stesso: ma il rischio è che, se a quell'aspettativa non associamo un correttivo psichico, i nostri discendenti diretti equivochino un bel po' di cose.

«Pensa a John Wayne Bobbitt.

«Te lo ricordi Bobbitt? Sono sicuro che il padre volesse semplicemente trasmettergli la forza e l'audacia associate all'iconografia dell'attore, ma l'unico risultato che ha ottenuto è stato un'attitudine machista ampiamente fraintesa, che non gli ha portato molta fortuna.

«Che ironia. Chiami tuo figlio come una figura mitopoietica della cultura moderna americana, ma lui diventa universalmente noto per uno stupro domestico in conseguenza del quale sua moglie gli taglia l'uccello, fugge in auto e getta il maltolto dal finestrino, dopodiché diventa una specie di eroina reazionaria del movimento femminista, viene assolta per infermità mentale, e dopo qualche anno fonda un'associazione contro la violenza domestica; mentre il povero Bobbitt si trasforma nell'emblema vivente del tipico stronzo maschilista cui nemmeno un terrificante supplizio medioevale è riuscito a insegnare qualcosa, dato che un po' di tempo dopo si fa arrestare per aver stuprato un'altra donna. Il problema del nostro John è che non ha mai imparato a riconoscere, e di conseguenza a rispettare, il Potere dentro sua moglie. Probabilmente è sempre stato il genere d'individuo che teme o rispetta solo le persone che il Potere lo manifestano in modo lampante: poliziotti, militari, criminali. Lui stesso si era arruolato per qualche anno nei Marines, esperienza dalla quale è probabile che desiderasse ottenere più una specie di ratifica istituzionale della sua personalità sociopatica che una prospettiva professionale a lungo termine. Il fatto è che la contraddizione tra le aspettative suscitate dal nome e la desolante pochezza della sua personalità aveva trasformato la sua vita in un gigantesco *koan*.

«Sai cos'è un *koan*, dottore? Nel buddhismo zen indica una questione paradossale e insolubile, il cui scopo è paralizzare la mente dell'allievo per evidenziarne i limiti procedurali: se pensi a Bobbitt, devi immaginare il suo cervello in perenne cortocircuito tra l'aspirazione alla virilità e l'avvilente incapacità di esprimerla in altro modo che seviziando la moglie.

«Po-chang diceva che andare alla ricerca della propria

natura è come cavalcare un bue alla ricerca del bue: io aggiungo che il bue, prima, deve essere domato.

«Il problema è riuscirci senza farsi ammazzare, cercando di tenersi saldi in arcione sopra una muscolosa tonnellata d'impulsi pronta a scatenarsi.

«Fidati di me, dottore. Impara a cavalcare il tuo Potere, o te ne pentirai.

«Impara a domarlo, e ti porterà più lontano di quanto immagini».

PARTE TERZA

22

Quella notte Barbara fece uno strano sogno.

Era in piedi, completamente nuda, in una stanza che non riconosceva: un rettangolo ampio, spoglio e asettico.

Davanti a lei, schierate in disordine come un reparto di militari allo sbando, c'erano cinquanta o sessanta persone.

Forse di più.

Tutti uomini.

Nudi anche loro.

La stanza era immersa in una vaga penombra, che sulle prime impedì a Barbara di capire chi fossero. Poi i suoi occhi si abituarono alla luce fioca che filtrava da un piccolo lucernario in cima alla parete, ungendo di uno strano riflesso viscido le pance sporgenti di tre o quattro di loro.

A un tratto riconobbe suo padre.

La prominenza del suo ventre era così accentuata che Barbara non riusciva a vedere il suo pene. Gli altri sembravano più giovani, alcuni poco più che ragazzini.

A un tratto capì chi erano.

Davanti a tutti c'erano i suoi primi fidanzati ufficiali, la matricola in legge e il figlio di un gioielliere di Massarosa.

Più in là, il compagno di liceo per il quale aveva avuto un'infatuazione inaspettata e tardiva a metà del quarto anno; accanto a lui, il ragazzo cui l'aveva preso in mano la prima volta, quattordicenne, all'ombra di un albero secolare nell'orto botanico di Lucca. E poi un collega di suo padre, panciuto quanto lui, oggetto di una strana e inconfessata attrazione reciproca quando lei aveva poco più di vent'anni. E ancora, lo studente francese conosciuto a Barcellona durante l'Erasmus al primo anno di pedagogia, circondato dai ragazzini foruncolosi da mezza Italia che si erano alternati nelle sue cotte di adolescente sulla spiaggia di Camaiore; dietro di loro riconobbe il bagnino di quella sortita abruzzese nell'agosto dei suoi diciassette anni. Vide l'insegnante di flauto traverso, con il suo pallido incarnato da mattatore notturno dei circoli jazzistici della Versilia; notò l'allampanato intellettuale che leggeva quotidiani in biblioteca, protagonista della claudicante ipotesi di flirt ordita nei due mesi passati a occhieggiarsi mentre lei studiava psicologia dello sviluppo. Poi c'erano il padre di un piccolo paziente affetto da deglutizione atipica che le aveva mandato fiori per settimane, e le decine di sconosciuti che l'avevano corteggiata con discrezione nei brevi interludi di esistenza passati sui treni o nelle sale d'aspetto.

I loro occhi fissi nei suoi.

Gli occhi delle persone che l'avevano amata, o semplicemente desiderata.

Si mossero fino a circondarla.

Non era spaventata.

Sapeva perché erano lì.

Sapeva cosa stavano cercando di fare.

Avrebbero cercato di proteggerla da qualcosa di terribile che stava arrivando.

Più tardi uscì insieme a suo marito.

A Davide piaceva accompagnarla nelle spese del sabato:

sapeva bene di essere un'eccezione, e non si faceva troppi scrupoli nell'attribuirsene pubblicamente un merito supplementare, un piccolo credito da aggiungere al bilancio d'esercizio pluriennale dell'azienda matrimonio di cui era socio.

Si fermarono al NaturaSì di via del Prete. Barbara salutò la cassiera, afferrò un carrello e si mosse tra gli scaffali con aria esperta, rapida ed efficiente. Selezionava i prodotti e li accumulava nel carrello tenendo separati indispensabili e voluttuari in base a gerarchie di merito – pasta integrale, riso Venere, orzo, miglio e couscous, latte di sorgo, latte di riso e cocco, lenticchie, ceci neri e fagioli dall'occhio, agar-agar e alga nori, seitan, tempeh, uvetta, fiocchi d'avena, caffè d'orzo solubile, formaggio vegetale a base di chissà cosa, olio di semi di lino, pistacchi salati e due confezioni di succo di arancia, impilati nell'angolo più lontano; in quello opposto, isolati e reietti, sussultavano il budino al cioccolato olandese e gli snack di farina di ceci. Davide le trotterellava dietro, come sempre affascinato – e vagamente intimorito – dalla fermezza di sua moglie davanti all'invitante arcobaleno dei prodotti esposti.

«La cicoria solubile non la prendiamo?» domandò indicandole la mensola dei prodotti in polvere.

«Meglio di no. Con il caldo diventa un bolo a prova di scalpello. Ho buttato l'ultimo barattolo la settimana scorsa e ce n'era ancora metà».

Dieci minuti dopo caricarono la spesa nel bagagliaio. Barbara stava per prendere posto sul sedile del passeggero, quando Davide la fermò.

«Guida tu» le disse.

Lei lo guardò, un po' sospettosa.

«Ho le spalle indolenzite» si giustificò lui. «Ieri mattina allenamento duro».

Barbara prese posto a sinistra, visibilmente eccitata. Aveva un debole per la BMW: si beava dell'elegante convergere di bombature e concavità, del brontolio glottidale del

195

sei cilindri, dell'accelerazione smodata. Fece manovra e si spostò con disinvoltura sulla statale 12.

«Andiamo in piazza Napoleone?» le disse Davide. «Devo comprare un altro biglietto».

«Uh, mi hai fatto ricordare che devo comprarne due anch'io».

«Per chi?».

«Stefano e Lucia non possono venire, quindi ne avanzavano due. Allora ho detto a Tommaso che poteva invitare un paio di amici, e lui mi ha chiesto se gli amici potevano diventare quattro».

«Quindi chi viene?».

«Anna e Giorgio di sicuro. E poi Marco e Francesca Callipo, se non ho capito male».

«Sono contento».

«Ho l'impressione che Tommaso si sia preso una cotta per Francesca».

«Come lo sai?».

«Era un po' troppo emozionato mentre le parlava al telefono. E dopo che lei gli ha detto di sì mi è sembrato frastornato per tutto il pomeriggio».

«E tu come ti senti in proposito?».

«Frastornata solo un po' meno di lui».

Sul palco c'erano due tecnici che fissavano i fari appesi ai lati opposti della piazza, scuotendo la testa come se avessero smarrito il senso di qualche arcana connessione e cercassero di venirne a capo prima che qualcuno si accorgesse di un errore imperdonabile.

Davide e Barbara camminarono verso la biglietteria, un piccolo prefabbricato di plastica e metallo che pervertiva lo sfondo del cinquecentesco Palazzo Ducale con la sua rozza estetica da cantiere. Lì dentro trovarono una giovane addetta alla ricezione che catechizzava un uomo, una donna e un ragazzino: tutti e quattro chinati sul bancone come biologi alle prese con una coltura batterica. L'addetta illustrava la disposizione dei posti della tribuna VIP su una mappa multicolore. Il suo tedesco era sintatticamente primitivo, compromesso e allo stesso tempo lubrificato dallo smodato utilizzo delle fricative postvocaliche della lingua fiorentina. La parola «VIP» saltava fuori dal crocchio ogni dieci secondi: Davide pensò che la ragazza ne abusasse per togliere ai clienti ogni dubbio residuo sulla loro identità sociale. Dopo un ultimo minuto di reciproche incomprensioni l'assemblea si sciolse: la coppia pagò i biglietti, prese la mappa e uscì in piazza Napoleone tenendo per mano il ragazzino biondo, che non smetteva di saltellare.

La ragazza posò le braccia sul bancone, il viso atteggiato a fatica e sconforto. Al che Barbara, che padroneggiava ogni inflessione toscana e amava esercitare la sua perenne vocazione al soccorso, le parlò accentuando i fonemi tipici della sua terra, nel probabile tentativo di rianimarla dopo l'aspro cimento del tedesco. Davide assistette così a un ineccepibile conciliabolo in fiorentino, ossessivo e marcato quello della ragazza, più sfumato ma impeccabile quello di Barbara. Fino a che, ottenuti i biglietti, le due donne si salutarono con l'orgoglio nostalgico di due esuli in terra straniera.

Tornarono alla luce del sole e attraversarono in senso inverso la piazza, tenendosi per mano.

I sostegni della tribuna VIP erano coperti da un lungo striscione di tela che riproduceva foto e nomi degli ospiti internazionali.

A metà tribuna Davide notò una gigantografia di Neil Tennant e Chris Lowe – i Pet Shop Boys.

Barbara si era sempre dichiarata una fan della primissima ora, ma a suo marito sembrava un'autocertificazione improbabile: documenti alla mano, ai tempi di *West End Girls* sua moglie aveva solo otto anni. Era possibile appassionarsi di synth pop a quell'età? Barbara sosteneva di sì.

A due passi dalla tribuna c'erano tre persone che chiacchieravano accanto all'ingresso di un piccolo tendone bianco.

Riconobbero immediatamente Massimo Lenci.

Indossava occhiali da sole e la sua livrea abituale: canottiera scolorita, calzoncini da bagno a mezza gamba e zoccoli.

Il loro primo impulso, sincronizzato dal disprezzo comune, fu di prepararsi a girare i tacchi: a Barbara sembrò quasi di percepire l'attivazione di ogni singola fibrilla nei muscoli del marito. Per una manciata di secondi si paralizzarono sotto il monumento a Maria Luisa di Borbone, nell'ombra del basamento, statue di carne sovrastate da una statua di marmo. A un tratto il ragazzo accanto a Massimo, che indossava pantaloni neri e un'elegante giacca bianca da cameriere, girò la testa verso di loro.

Era Giovanni.

Si era tagliato i capelli. La sua visione, in qualche modo, rasserenò Barbara, che alzò un braccio e gli mandò un cenno di saluto modulando un « ciao » afono.

Lui li fissò, un po' spaesato, come incapace di riconoscere i suoi vicini in un luogo alternativo al giardino o alla veranda di casa. Alzò la mano e rispose.

A quel punto Massimo si accorse di loro.

Li osservò, con aria accigliata, senza smettere di parlare con il terzo uomo, un tizio alto e magro in camicia hawaiana che fumava una sigaretta.

Davide e Barbara ripresero a camminare.

In meno di dieci secondi furono a tiro di voce.

« Ciao Giovanni » disse Davide.

« Ciao » rispose lui, timidamente.

« Signori » disse Massimo. Poi indicò entrambi al suo amico.

« Carlos, » disse « posso presentarti i miei vicini? Barbara, questa bellissima signora, è una logopedista. Suo marito, Davide, fa il neurochirurgo a Campo di Marte ».

Carlos li salutò con lenti movimenti del capo, fissandoli

come se cercasse di sradicarne le sembianze dall'oblio di un passato remoto. Solo in quel momento Davide si accorse che portava i baffi. Aveva la carnagione scura e i capelli di un nero oltraggioso, ed esibì un certo interesse, circospetto e non insolente, per le gambe di sua moglie.

Massimo gli posò una mano sulla spalla.

« Sai qual è il lavoro di un chirurgo, Carlos? » gli disse.

Lui lo guardò come se non ne avesse la minima idea.

« Tagliare. Separare e asportare ».

Lo sguardo di Carlos passò rapidamente dal volto di Massimo a quello di Davide.

« È quello per cui sono pagati » continuò Lenci. « Tagliano pelle, tessuti, ossa. Quindi perché mai dovrei sorprendermi se il dottor Ricci mi ha tagliato via dalla vita economica della città? È il suo mestiere: tagliare e asportare ».

« Perché non la pianta con queste idiozie? » disse Barbara.

Massimo la guardò quasi offeso.

« Sto solo dicendo la verità, che le piaccia o no. Suo marito non le ha detto che sono costretto a fare lavoretti saltuari per racimolare qualcosa? ».

Tolse la mano sinistra dalla spalla di Carlos e posò la destra sulla spalla del figlio.

« Giovanni ha deciso di aiutarmi facendo il cameriere qui al Festival. È stato lui a insistere: desideravo che si godesse le vacanze, ma non ha voluto sentire ragioni ».

Giovanni commentò le parole paterne abbassando gli occhi a terra.

« Mi riesce difficile pensare a lei che si lascia convincere a fare qualcosa di cui non è già convinto in partenza » disse Barbara.

« Che vuole insinuare? » sibilò lui.

« Niente. Niente in particolare ».

« Crede che stia approfittando di mio figlio? È questo che intende? ».

« No ».

«E invece sì» replicò lui, il tono ormai vibrante di minaccia.

«Pensi quello che vuole» disse Barbara mentre registrava senza alcun sollievo l'assoluta inerzia del marito.

Massimo tolse la mano dalle spalle di Giovanni e fece un passo verso di loro.

Carlos tentò di fermarlo afferrandolo per il braccio, ma lui si scrollò di dosso la sua mano e proseguì, col passo indolente di chi vuole dare alla collera il tempo di autoalimentarsi per godersene il riflesso sulle facce altrui.

Barbara ebbe tutto il tempo di chiedersi se fosse più terrorizzata dall'incedere di Lenci o dalla totale mancanza di reazioni di Davide. Le loro mani erano ancora allacciate: di solito vivace ed eloquente, palpitante di microsegnali (forse per ricordarle di non comprimere troppo l'inestimabile strumento professionale di un chirurgo), ora la mano di suo marito era fredda e morta in quella di lei.

Non le aveva stretto il palmo per manifestare disagio.

Non l'aveva strattonata per indurla a lasciar perdere.

Massimo continuava ad avanzare, e Davide era una statua di sale.

«Sono stanco di voi» disse Lenci.

Davide si mosse.

La sua mano sinistra saettò fino al viso di Lenci, agganciandogli la gola.

L'uomo fece un verso strozzato.

Gli occhi parvero schizzargli dalle orbite. I tendini del collo si tesero come funi da carico. Lenci s'immobilizzò, congelato dalla sorpresa: per i primi secondi non tentò nemmeno di liberarsi dalla morsa, troppo sbalordito per reagire.

Carlos alzò un sopracciglio, unica reazione misurabile del suo stupore.

«Sai cosa sto stringendo tra pollice e medio?» disse Davide, a bassa voce. «Probabilmente no. È qualcosa che si chiama *seno carotideo*. C'è un sacco di roba interessante qui dentro, lo sai? Se stringo ancora un po', il nervo vago aumenterà il livello di acetilcolina provocando un brusco calo della pressione. E se la pressione scende troppo in fretta, be', credo tu sappia che si sviene all'istante ».

Massimo sollevò una mano fino al polso di Davide. Tentò di liberarsi, ma smise appena capì che la presa si stava serrando e si approssimava al limite oltre il quale il suo sistema nervoso avrebbe risolto l'impasse facendolo stramazzare.

« Com'è che all'improvviso una persona mite come me è disposta a usare in maniera impropria le sue conoscenze cliniche? » disse Davide.

Barbara gli strinse disperatamente la mano destra, derogando alle implicite ingiunzioni riservate alle mogli di chirurghi, musicisti e illustratori.

Davide non se ne curò.

« Forse è meglio riformulare la domanda » disse. « E cioè: perché all'improvviso sono pronto a usare le informazioni in mio possesso per farti del male, fottendomene di vincoli morali e giuramento d'Ippocrate? ».

E qui si liberò dalla mano di sua moglie, avvicinandosi di un passo al suo avversario.

« La risposta è ovvia. Perché sono cambiato. Non sono più l'uomo che ero fino a poco tempo fa ».

Ora i due si fronteggiavano, i volti separati solo dal braccio flesso di Davide.

« E credo che dovresti sentirti lusingato dalla mia evoluzione, » disse, la voce poco più di un sussurro « perché il merito è tuo ».

Giovanni teneva gli occhi chiusi, vagando nella serenità virtuale di qualche lontano paradiso aborigeno.

« E ora ti do l'informazione più preziosa » continuò Davide. « Ti dico come usciremo da questa imbarazzante situazione. Tra qualche secondo lascerò in pace il tuo seno carotideo. Mollerò dolcemente la presa e abbasserò il braccio. Credo sarebbe cortese, da parte tua, mostrare una certa gratitudine restando dove sei, o al limite indietreggiando: hai completa libertà di scelta. Poi io e mia moglie ce ne andremo: non è educato interrompere così una conversazione, ma ho paura che a questo punto nessuno dei presenti sia dell'umore adatto. Per giunta abbiamo la spesa in macchina. È tutta roba deperibile, e fa già piuttosto caldo».

Davide allungò lentamente il collo in avanti, il viso ormai a un palmo da quello di Massimo.

«Se tenti di aggredirmi appena mollo la presa, scoprirai a tue spese quanto sia profondo il cambiamento che hai contribuito a produrre. Se credi che abbia paura di fare a botte, o speri che uno stimato professionista abbia inibizioni a menare le mani di fronte a sua moglie, a un ragazzino e a un estraneo, be', vedrai quanto possono essere pericolose certe illusioni».

Barbara si rese conto di avere la bocca spalancata.

«È arrivato il momento di decidere» disse Davide.

Lasciò la presa, abbassò il braccio e rimase dov'era, senza smettere di fissare Lenci.

Il quale sembrava indeciso sul da farsi: incertezza che prolungò per parecchi secondi. Poi alzò la mano destra per guidarla con estenuata lentezza verso un punto imprecisato tra il suo viso e quello di Davide.

Tutti dovettero chiedersi cosa stesse per succedere. Persino Giovanni aveva riaperto gli occhi, fissando con sguardo vuoto l'ascensione della mano paterna.

Mano che finì per depositarsi sul collo indolenzito del suo proprietario. Massimo prese a massaggiarsi la gola, tastandosi con una strana accuratezza, come per assicurarsi che il nervo vago fosse ancora nel suo alloggiamento anatomico.

Indietreggiò di un passo.

A quel punto Davide allungò il braccio destro verso sua moglie e attese che gli prendesse la mano.

Lei obbedì.

Si girarono entrambi per incamminarsi verso l'auto.

Barbara si adattò a fatica all'incedere rilassato del marito.

Guidò ancora lei. Con insolita prudenza, come temendo che un'andatura troppo allegra risvegliasse il freddo furore di lui, appena riassopito.

Davide non disse una parola.

Barbara approfittò di un paio di semafori per sbirciare nella sua direzione. Si chiese se la pensosa immobilità di suo marito fosse la solenne autoflagellazione di un individuo buono e pacifico incappato in un inspiegabile cortocircuito emotivo.

No, si rispose. Era tutt'altro tipo di espressione. Alla quale Barbara cercò di associare una parola che la spinse a rallentare ulteriormente l'andatura, sollecitando allo stremo le sue facoltà mnemoniche, finché l'oggetto delle sue brame prese forma proprio davanti al cancello di casa, con il vortice del lampeggiante che equivaleva a uno strepitante «eureka». Barbara guardò Davide un'ultima volta, e la parola che cercava era lì, sul suo viso, circondata di punti esclamativi, scalpellata dall'alternanza di luce e buio – e la parola era, naturalmente, «rivelazione».

Spense la macchina e prese un respiro solenne.

«Che diavolo è successo, Davide?» disse.

Si girò lentamente verso suo marito.

«Hai messo le mani al collo del tuo vicino» puntualizzò.

Davide fissava ottusamente la porta di casa.

«Lo hai minacciato» continuò Barbara. «Hai messo in preventivo la possibilità di fare a botte. Di fare del male a un altro essere umano».

«Lo so» ammise finalmente lui. «Ma non avevo scelta».

« Sì che ce l'avevi ».

« Voleva aggredirti ».

« Non è vero ».

« Sì invece ».

« Potevamo cercare di calmarlo. Di ragionare ».

« Ragionare? » disse Davide, voltandosi lentamente verso di lei. « Ragionare? » ripeté. « Con lui? Non c'era margine, Barbara. Non c'è mai stato, con quell'uomo ».

« Allora potevamo scappare. O metterci a gridare. Era pieno giorno, qualcuno ci avrebbe aiutato ».

Davide spalancò gli occhi.

« *Qualcuno?* Perché doveva pensarci qualcuno? Ti ho aiutata *io*. Io. Sono tuo marito: era mio dovere difenderti ».

« E se avesse tirato fuori un coltello? ».

« Da dove? Era praticamente in costume ».

« Ma che cazzo di risposta è? ».

« Voglio dire che non è tipo da coltelli ».

« Ah, questo è vero: preferisce i cavatappi ».

Barbara scosse la testa.

« Il problema non sono i coltelli, Davide. Il problema è che non puoi reagire così alle provocazioni. Non voglio che tu reagisca così. Non m'interessa quello che t'inculca quello psicopatico del tuo amico. Questo è il ventunesimo secolo, non il Medioevo. Non voglio che mio marito vada in giro a risolvere le sue questioni prendendo la gente per il collo ».

Lui fece una strana risatina. Barbara lo guardò, attonita, come se in quel suono avesse captato qualcosa di alterato, qualcosa che suggeriva l'idea non proprio tranquillizzante che suo marito si fosse trasformato in un individuo completamente diverso.

« Non ho intenzione di risolvere le mie questioni prendendo la gente per il collo » disse Davide. « A meno che non sia l'unica possibilità ».

E qui lei lo fissò, ancora più sconcertata dalla definitiva conferma che il marito avesse deciso di impacchettare la sua proverbiale mitezza per riporla su una mensola da cui sarebbe stata ripescata molto più di rado.

« E quel discorsetto che gli hai fatto? » chiese. « Il seno carotideo e tutto il resto? Da dove l'hai tirato fuori? ».

Lui rispose qualcosa, ma talmente piano che lei non capì.

« Eh? Cosa hai detto? ».

Lui abbassò gli occhi.

« Me l'ero preparato ».

« *Preparato?* Come sarebbe? Che significa? ».

« Ho fatto come Diego ».

« Cioè? ».

Lui fece un gesto vago con la mano.

« Ricordi cosa disse al tipo che ti molestò al Mercatino del Pesce? » domandò. « Quando gli piantò il coltello sotto le palle e gli suggerì che da quel momento avrebbe fatto meglio a camminare in punta di piedi? Be', ho chiesto a Diego come gli fosse venuta in mente una cosa del genere, e lui ha ammesso di non aver improvvisato nulla. Era da un po' che si sceneggiava tutto in testa. Aspettava solo il momento propizio ».

Barbara scosse di nuovo la testa.

« Se questa non è la prova definitiva che quell'uomo è pazzo, non so cos'altro ti serva » disse.

Poi, l'attimo successivo, un pensiero si arrampicò rapidamente fino a lei.

« Aspetta, » disse a suo marito « aspetta un attimo. Come fai a sapere cos'ha detto Diego a quel tipo, se sei arrivato *dopo* che è successo? ».

Davide si adagiò sul sedile di pelle. Chiuse gli occhi.

« Ero lì » disse. « Ero lì dal primo momento ».

« Come sarebbe? ».

A quel punto Davide piegò il busto in avanti. Posò i gomiti sul cruscotto e si prese la testa tra le mani.

« Sono arrivato in tempo per vedere mia moglie e mio figlio infastiditi da un ubriaco. Ma non ho mosso un dito.

Ero pietrificato dalla paura. Nascosto come un verme in mezzo a una comitiva di turisti ».

« Io non... non capisco ».

« Eppure è così chiaro. Sono un vigliacco, Barbara ».

Lei si lasciò sfuggire un gemito.

« Mi vergogno. Mi vergogno da morire ».

Barbara gli posò una mano sul ginocchio, più impietosita che sconcertata.

« Ho preferito non vedere, » continuò Davide « come faccio da una vita. Ma ora basta. Non posso continuare a far finta che certe cose non esistano solo perché mi ripugnano ».

Si girò verso di lei e la fissò intensamente.

« Puoi immaginare qualcosa di più stupido che credere che il mondo non ti tocchi solo perché ti rifiuti di ammettere che possa? » disse. « Solo perché fai ogni sforzo per essere un bravo padre e un buon marito? Solo perché ti impegni a essere dolce e comprensivo con tutti? ».

Posò la mano su quella di Barbara.

« Sai bene che ho sempre considerato indecente il paragone tra il cervello, l'incantevole strumento che fa di noi quello che siamo, e la sbrigatività volgare della violenza » disse. « Ma ora ho capito che non esiste tempo più sprecato di quello passato a stupirsi dell'aggressività altrui. L'unico modo di inceppare il meccanismo banale e ripetitivo della follia umana è accettare quello che siamo, Barbara. E io avevo semplicemente paura di essere ciò che sono ».

Ancora una volta Barbara scosse la testa.

« No » disse. « Tu non sei così ».

« Sì invece ».

Lei aprì la bocca, ma un attimo prima che potesse ribattere la porta di casa si aprì. Il busto di Tommaso spuntò dall'uscio: i suoi occhi misero a fuoco i genitori, ispezionandone i volti con aria interrogativa.

Barbara mostrò a suo figlio un rassicurante pollice alzato. Tommaso scrollò le spalle e chiuse la porta.

Quindi la donna si girò un'ultima volta verso il marito.

Davide, che si era prontamente tirato su all'apparire del ragazzo, sostenne lo sguardo di lei con la schiena dritta, pronto a respingere qualunque altra obiezione.

Per un attimo Barbara non fu più tanto sicura delle sue ragioni.

Eppure doveva dare un segnale. Ristabilire le gerarchie.

Che poteva dire?

« La spesa » gli intimò « la porti dentro tu ».

23

Fissò il buio per un po', trattenendo il bisogno di muoversi.

Attese altri dieci minuti, finché a un tratto sentì il lieve russare dall'altro lato del letto. Poi si alzò e prese gli abiti dalla sedia.

Era improbabile che Barbara si svegliasse nel cuore della notte, ma eventualmente le avrebbe detto che c'era stata un'emergenza in ospedale. Si avvicinò a lei. Era su un fianco, con le mani protese verso il nulla. Le sfiorò delicatamente le dita.

Guardò la radiosveglia.

Mezzanotte e ventisei.

Uscì dalla stanza. Si vestì in bagno, senza fretta. Prese una confezione di lenti a contatto dall'armadietto e ne indossò un paio.

Aveva ancora tempo.

Non aveva impiegato granché a prendere atto della sostanziale inutilità di un lastrico solare. Nessuno in famiglia era un fanatico di abbronzatura integrale, idromassaggi o grigliate tra amici (queste ultime, peraltro, azzerate dallo scisma vegano imposto da Barbara). Il destino della Jacuzzi era stato addirittura emblematico: la prima estate, Barbara si era illusa di godersene l'ipnotico borborigmo teneramente abbracciata a Tommaso, ma appena aveva provato ad azionare l'idromassaggio il bimbo, già diffidente in partenza, aveva espresso a strepiti un terrore isterico.

In una tenera notte di mezza estate, tuttavia, persino un orpello architettonico di dubbia utilità assume un significato. Davide si avvicinò alle sedie di plastica impilate in un angolo, ne prese una e si sedette vicino alla ringhiera.

Reclinò la testa.

Vide la fredda effervescenza di stelle sopra di sé.

Dov'era l'Orsa Maggiore? E il Piccolo Carro? E Cassiopea?

Faticava a individuarle. Tommaso gli aveva mostrato le principali costellazioni, ma per lui gli unici motivi d'interesse dell'astronomia erano le bizzarrie aneddotiche da mensile divulgativo. (Su Nettuno piovono diamanti. Su Marte c'è un monte alto venticinque chilometri. Le stagioni, su Urano, durano ventun anni ciascuna. Saturno ha una densità così bassa che potrebbe galleggiare sull'acqua. Venere è l'unico pianeta del sistema solare dove il Sole sorge a ovest).

Era Tommaso stesso a inserire quelle brevi spigolature all'interno di considerazioni più ostiche sulla natura dell'universo, avendo compreso da un pezzo il fondamentale disinteresse paterno per la materia.

Aveva un modo personale e appassionato di spiegare le cose: Davide pensava che sarebbe stato un ottimo insegnante. Lo sperava, in un certo senso. Caldeggiava ogni sua inclinazione che non avesse a che fare con la medicina, proprio come suo padre aveva fatto con lui, forse temendo che l'esito eventualmente modesto della carriera filiale pregiudicasse retroattivamente la sua – che la gente, cioè, attribuisse la mancata trasmissione patrilineare del talento a qualche magagna cromosomica. Di sicuro non avrebbe mai voluto che un giorno Tommaso cedesse alla meschina tentazione di mostrargli quanto le sue vecchie convinzioni cliniche fossero sballate.

Il cielo ai bordi della Via Lattea era diventato color ardesia.

La storia dei conflitti tra padre e figlio gli faceva sempre venire in mente la vicenda di Pedro Bach-y-Rita, poeta e insegnante catalano, che nel 1959 fu colpito da un ictus devastante. I danni al cervello erano così estesi da renderlo afasico e semiparalizzato. Dato che il programma riabilitativo standard non ebbe effetto, il suo primogenito George, specializzando in psichiatria, decise di sottoporlo a una specie di protocollo intuitivo. L'unico modello cui poteva ispirarsi, scrisse in seguito, era il modo in cui i bambini imparano a relazionarsi con il mondo: quindi la prima cosa che fece fu insegnare di nuovo a suo padre come si gattona. I vicini disapprovarono: non è decoroso, dissero, costringere un insegnante a camminare come un animale nel giardino di casa. Ma George aveva fede nelle sue sensazioni. In poche settimane il padre fu in grado di reggersi in piedi: quindi gli insegnò a procedere appoggiandosi al muro. E ancora: da seduti, faceva rotolare delle biglie sul pavimento invitandolo ad afferrarle. George proseguì per mesi sulla stessa falsariga, fino a che il risultato della sua didattica oltrepassò ogni esito concepibile: a poco più di un anno dall'ictus Pedro tornò a insegnare al City College di New York.

Qualche anno più tardi, quando morì a causa di un attacco di cuore, l'autopsia svelò che il recupero motorio e cognitivo di Pedro non aveva basi biologiche: buona parte del suo cervello era ancora una massa spugnosa completamente inservibile. Ma il paziente lavoro di George aveva costretto le risorse cerebrali superstiti a compensare quelle perdute: un evento considerato impossibile fino a quel momento, e che impresse una svolta decisiva alla storia della medicina.

Nel tempo, Davide aveva raggiunto la certezza che a un certo punto dell'accidentato percorso tra padre e figlio i ruoli si rovesciassero. A George era toccato il compito di rieducare da capo suo padre: a lui era stata riservata la mansione, di gran lunga più ingrata, di smentire buona parte delle certezze professionali del suo.

Pensò al modello di genitore che aveva cercato di incarnare, quasi certamente senza successo.

Pensò ai padri e ai figli di tutto il mondo, e ai loro sofisticati cervelli configurati da amore e ostilità. L'antagonismo maschile, la strisciante animosità, le posture astiose: il silenzioso cifrario dell'inconciliabilità di universi paralleli.

Un anno prima, mentre era a Londra per alcuni corsi di aggiornamento allo Hammersmith Hospital, Davide aveva assistito al risveglio di un uomo in coma, un giovane statistico vittima di un incidente d'inconcepibile assurdità: un drone in avaria era piombato sulla sua auto, scagliandogli in testa lo specchietto retrovisore. Pochi minuti prima dell'impatto, l'uomo aveva saputo che sua moglie era incinta di tre mesi. Poi il trauma l'aveva spedito in coma per quasi ventitré settimane: ne era uscito nell'istante esatto in cui la sua bambina veniva alla luce, come se l'ingresso nella vita del piccolo cervello filiale avesse richiamato all'ordine il suo, imponendo al residuo offuscato della sua coscienza di uscire da quel prolungamento indefinito di sonno e cominciare a occuparsi della sua inerme discendenza.

Chissà se tra lui e Tommaso c'era mai stato un legame sovrasensoriale di quel genere, un'alleanza di spiriti oltre il vincolo della rivalità. Cosa stava insegnando a suo figlio? Quale ricordo avrebbe voluto lasciargli?

Scrollò le spalle. Sentì una lieve fitta al trapezio sinistro: da una settimana l'istruttore lo sottoponeva a estenuanti sessioni di sacco che gli lasciavano i muscoli perennemente indolenziti.

211

Si alzò e si massaggiò il collo.

Quindi si diresse verso la scala.

Entrò in macchina all'una in punto. Uscì dal cancello e vide la sagoma scura poco oltre la colonnina.

Fermò la BMW. Diego aprì la portiera, lo salutò con un cenno e si sedette.

«Sei pronto?» gli disse.

«Prontissimo. Dove andiamo?».

«Lido di Camaiore».

Davide entrò in via Savonarola, e proseguì badando a non premere troppo sull'acceleratore. Ogni volta che erano in macchina si chiedeva perché un ex picchiatore, uno spacciatore mai esplicitamente pentito, un individuo per il quale la legalità era un principio astratto, subordinato a dozzine di altri, si inquietasse se qualcuno superava di due chilometri il limite di velocità.

Chissà cosa aveva in mente di fare, Diego, a Lido di Camaiore: una specie di crash test della sua nuova consapevolezza, sospettava Davide. Nulla che avrebbe mai eguagliato il pathos grandioso e terribile della sua mano al collo del vicino, pensò: impresa alla quale non aveva ancora dedicato una riflessione specifica. Cosa aveva ricavato, da quei cinque minuti di delirante follia canicolare?

Non gli sovveniva nulla, se non l'apparentemente sconnessa aporia di una delle sentenze di cui lo Zen faceva uso per scuotere i cervelli intorpiditi:

Giusto e sbagliato sono pastoie per asini.

In quel momento si ricordò del concerto. Cercò il biglietto nella tasca laterale della portiera.

«Domani sera ci sono i Pet Shop Boys» disse Davide. «In piazza Napoleone».

«E allora?».

«Tieni» disse porgendo a Diego il biglietto.

«Per me?».

«Domani è il compleanno di Barbara e abbiamo invitato al concerto un po' di amici».

«Io non sono amico di tua moglie».

«Questo è fuor di dubbio. Ma esserlo del marito è sufficiente».

«Lei è d'accordo?».

«Non lo so. Non le ho detto che era per te».

«Non mi sembra una cosa leale».

«Certo che no. Ma poco prima dell'inizio approfitterò della sua malinconia da traguardo epocale per presentarvi».

«Ci siamo già presentati».

«Meglio rigirare la scena».

«A quale traguardo epocale ti riferisci?».

«Compie quarant'anni».

«È così importante che tua moglie abbia una buona opinione di me?».

«No. Ma mi piacerebbe che non ne avesse una tremenda».

Continuò a guidare nel traffico euforico dei sabati sera. Le auto zeppe di ragazzi che migravano da un pub all'altro, verso la costa, in direzione del senso notturno e segreto di tutte le cose.

Venti minuti dopo arrivarono a Camaiore.

Davide trovò parcheggio in viale Capponi, evento poco meno che miracoloso. Camminarono per un centinaio di metri. La notte era calda e accogliente, ebbra di una strana dolcezza. Una giovane coppia saliva le scale di un albergo, la mano di lui salda sul fondoschiena di lei. In quel punto della città c'era uno strano silenzio, una quiete premonitrice, non necessariamente angosciosa. Davide non riuscì a non chiedersi cosa facesse lì, in piena notte, a trenta chilometri da casa, in compagnia di uno sconosciuto che aveva appena definito amico.

Entrarono nella pineta.

Il Potere dentro Davide ebbe un lieve sussulto, sperimentando la difficoltà di emergere, sepolto sotto un cumulo di desideri terreni. Una parte di lui aveva voglia di tornare a letto, ad ascoltare il respiro di sua moglie.

Che ci faceva lì?

Avrebbe dovuto essere a casa. A guardare il cosmo latti-ginoso dal suo lastrico solare, quarantadue metri quadrati di prezioso iroko africano da poco colmati di senso – un senso beffardamente avulso dall'aggettivo «solare». A fis-sare il cielo e attendere l'agonia spettacolare di una stella lontanissima.

Poche ore ancora, e poi la colazione con suo figlio, in silenzio, nella serenità della cucina, senza bisogno di par-lare, godendosi il reciproco disinteresse.

«Questo è il posto» disse a un tratto Diego, fermandosi più o meno al centro della pineta.

«Cosa cerchiamo?».

«Gente problematica».

C'erano tre persone a un centinaio di metri, che beveva-no birra da bottiglie di vetro. Altri due ragazzi a sinistra, più lontani, parlottavano fitto.

«Che devo fare?» chiese Davide.

Nel cono d'ombra di un lampione spento il bagliore di un fiammifero si spalmò su altri quattro corpi.

«Io me ne vado» disse Diego. «Tu ti appoggi a un albe-ro e aspetti. Qualcuno arriverà».

«Qualcuno chi?».

«Uno spacciatore, una prostituta. Oppure un tossico che ha bisogno di soldi. Se sei fortunato, un rapinatore professionista».

«Stai scherzando?».

«No».

«E se non arriva nessuno? Un uomo solo al centro di un posto del genere. Non è un po' sospetto? Potrei passare per un agente in borghese».

«Non sembri un agente in borghese».

«E cosa sembro?».

«Per chi sa osservare, esattamente quello che sei. Sanno

chi siamo. Lo sanno dal momento in cui abbiamo calpestato il primo ago di pino».

«E quindi che dovrei fare?».

«Aspettare».

«E mentre aspetto?».

«Reprimi».

«Cosa?».

«Qualunque impulso diverso dalla certezza di essere in totale controllo della situazione».

«Quindi, se qualcuno si avvicina e mi chiede se ho bisogno di qualcosa...».

«Tu gli rispondi. Sei una persona educata, no?».

«E che gli dico?».

«Hai bisogno di qualcosa?».

«No».

«E allora rispondi di no».

«E se invece arriva qualcuno che ha brutte intenzioni?».

«Intuirà in mezzo secondo che sarebbe inutile chiederti qualcosa che tanto non otterrebbe».

«E come glielo faccio capire?».

«Ci arriverà da solo».

«Come fai a esserne sicuro?».

«Lo vedrà. Lo annuserà. Ti è successo qualcosa, lo capirebbe chiunque. Non sei più la stessa persona».

«Lo *annuserà*?».

«Proprio così».

«Fammi capire bene. Arriva un tizio con un coltello...».

«Non è detto che abbia un coltello».

«Facciamo finta di sì. Arriva questo tizio, si perde in convenevoli e poi tira fuori un serramanico. A quel punto mi tocca sperare che non abbia il raffreddore, se voglio salvare la pelle?».

«Io non la metterei in questi termini».

«E io continuo a non capire come ne esco».

«Diciamo che la prima alternativa è dargli ciò che vuole».

215

«E la terrò bene in considerazione. Passiamo alla seconda».

«Ti ho già detto qual è».

«Ripetimela. A un certo punto della serata vorrò essere sicuro di non averla dimenticata».

Diego si avvicinò di un passo e gli puntò un dito sullo sterno, più o meno in asse con i capezzoli. Nelle ultime settimane Davide aveva perso cinque chili, e si ritrovò a sperare assurdamente che Diego notasse quanto il calo di peso avesse azzerato la sua ginecomastia incipiente.

«C'è qualcosa qui dentro» disse. «C'è sempre stato, ma tu non lo sapevi. Ora lo sai. È tutto qui».

Allargò le dita della mano e gliela posò sul cuore.

«La coscienza di avere un potere ha attivato il Potere. Non c'è stata progressività: a un certo punto è successo. O sei illuminato, o non lo sei. O sei innamorato, o non lo sei. O sei pronto, o non lo sei. Ora lo sai. Il tuo Potere controlla il Potere altrui. La tua violenza è l'argine a quella altrui. La tua aggressività rispetta quella altrui. La contiene, la inibisce. Un giorno verremo a patti con i nostri istinti profondi, e da quel momento ogni cosa cambierà, perché la violenza è il tratto umano più unificante che c'è. Il segno della fratellanza».

La sua mano passò dal petto alla spalla.

Fratellanza, pensò Davide.

Per la prima volta da quando erano arrivati, sentì che quell'impresa aveva un fondamento. Si disse che aveva ancora tanto tempo, e altrettante occasioni di godere della bellezza e della dolcezza del creato, ma che forse dalla dolcezza non avrebbe più imparato granché.

«Sei pronto?» chiese Diego.

Davide annuì. A quel punto Diego girò i tacchi e si allontanò, con la sua andatura liquida e rilassata, addentrandosi fra le ombre del sentiero da cui erano arrivati.

Davide controllò l'orologio.

L'una e trentasei.

Si appoggiò a un tronco, cercando il contegno adatto alla situazione. Girò lo sguardo a destra e a sinistra, memorizzando le coordinate dei presenti.

Uno dei giovani bevitori di birra lo stava osservando. Gli altri due si erano appena infilati un identico cappellino da baseball, nello stesso momento e con le stesse movenze regolari, gesto che Davide fu tentato di interpretare secondo uno schema paranoico. Quindi si disse che era meglio non interpretarlo affatto.

I due ragazzi a sinistra erano nella stessa posizione di poco prima, ancora immersi nel reciproco campo gravitazionale.

Uno dei quattro uomini sotto il lampione non c'era più.

Girò la testa e vide qualcuno correre attraverso la pineta.

Correva in direzione di Diego. Due secondi dopo gli piombò alle spalle. Fece una specie di strano saltello e gli diede un cazzotto sul lato sinistro della nuca.

Diego barcollò, portandosi la mano sinistra alla testa.

Davide spalancò la bocca.

L'uomo fermò il suo slancio con una certa grazia e si posizionò esattamente dietro a Diego. Poi gli sferrò un secondo pugno di nitida, perversa simmetria sul lato destro della nuca.

Diego cadde a terra, su mani e ginocchia.

«Ehi!» gridò Davide.

L'uomo non si girò nemmeno. Aveva un lavoro da portare a termine e pochi secondi a disposizione. Caricò la gamba destra e diede un calcio alle costole dell'uomo a terra, che incassò con un gemito strozzato.

Davide cominciò a correre.

«Fermati!» gridò. «Fermati, figlio di puttana!».

Diego crollò di lato. L'uomo accanto a lui si girò.

Davide rallentò fino a fermarsi.

Era l'uomo della cabriolet.

Riconobbe il viso sfigurato dalla cicatrice, il candore malato del suo occhio sinistro.

L'uomo osservò il nuovo antagonista senza apparente curiosità, la testa lievemente flessa.

Cominciò a muoversi di lato, con l'indice della mano sinistra puntato ai piedi di Davide, come a fargli intendere che, se gli avesse usato la cortesia di restare dov'era, la questione poteva considerarsi chiusa. Continuò a camminare senza perderlo di vista: era un esplicito riconoscimento del pericolo che rappresentava, dell'avvenuta identificazione di una capacità intimidatoria, di cui Davide, tuttavia, preferiva non verificare la reale consistenza. Meglio lasciare che fossero i rispettivi Poteri a imbastire una tregua. A un tratto l'uomo suppose di essersi allontanato abbastanza e si girò per mettersi a correre verso il lato occidentale della pineta.

Davide represse l'istinto di precipitarsi dall'amico: prima doveva assicurarsi che un altro squilibrato non lo avrebbe aggredito mentre lo soccorreva.

Si guardò rapidamente intorno.

Senza troppa sorpresa notò che si erano dileguati tutti. Quasi certamente dopo il primo cazzotto.

Non perse un secondo di più. Si avvicinò rapidamente a Diego e si chinò su di lui. Lo voltò con delicatezza, gli controllò respirazione e battito. Gli sollevò la palpebra destra, poi la sinistra. Diede un'altra serie di sguardi furtivi ai dintorni: non aveva bisogno degli occhi mentre controllava la presenza di fratture alla testa, tastandogli dolcemente il collo e la nuca, usando le falangi e i polpastrelli per autorizzarsi a sperare che non gli fosse accaduto nulla di grave.

In ogni caso doveva portarlo subito in ospedale.

Sì. Avrebbe adagiato il suo amico sul lettino e si sarebbe seduto ad attendere l'esito di esami approfonditi: solo allora si sarebbe interrogato sulle tante questioni all'improvviso spuntategli in mente, la più urgente delle quali era senz'altro cercare di capire dove fosse il Potere dentro Diego mentre il povero Diego le prendeva da un Potere evidentemente ignaro del suo.

24

Barbara si svegliò poco dopo le due. Era un'esperienza insolita per lei, che si addormentava tardi e si svegliava presto, e non aveva necessità fisiologiche o ansie recondite a turbarla nel cuore della notte. Impiegò tre o quattro secondi a ripristinare le coordinate, e altrettanti a capire che Davide non era nel letto con lei.

Epaminonda dormiva acciambellato sul comò.

Dov'era suo marito? Pensò fosse in bagno, ma quando si sporse sul lato opposto vide che pantaloni e camicia non erano più sulla sedia. Forse era stato convocato a Campo di Marte per un'emergenza, ogni tanto succedeva. Non si meravigliò di non essersene accorta. Di notte Davide indossava un cercapersone da polso che lo allertava con discrezione, e in ogni caso Barbara aveva il sonno talmente pesante che suo marito avrebbe potuto risolvere le sue incombenze direttamente in camera da letto, con l'équipe operatoria al seguito e la Surgeons Soundtrack di Spotify in sottofondo.

Poi notò gli occhiali sul comodino.

Strano, pensò.

Davide indossava lenti a contatto solo ed esclusivamente

durante le lezioni di boxe: non le aveva mai utilizzate in nessun'altra occasione.

Si adagiò nel letto cercando di silenziare il favo ronzante di timori che l'aveva svegliata. Pensò di imputare tutto a una commistione di angosce attribuibili alle vicende della mattina precedente, ma poi capì qual era il vero problema.

Era il 31 luglio.

La mattina del suo compleanno.

Da poco più di due ore era una quarantenne.

La sua giovinezza se n'era ufficialmente andata. La sua stessa vita, quindi, secondo un principio d'identità aristotelicamente improprio, ma universalmente approvato.

Era tecnicamente morta. Era un fossile, per quanto ben conservato. Un capolavoro di tassidermia. Un corpo dimenticato per sempre in una teca criogenica. Il suo spirito aveva già posato due monete nel palmo del traghettatore per farsi condurre sulla riva opposta.

Fissò il soffitto.

Sono qui, si disse, che muoio un secondo alla volta, e mio marito è chissà dove a salvare la vita di qualcuno che non sono io.

25

Diego riaprì gli occhi in macchina. Il sedile era reclinato, e la prima cosa che vide fu il cielo foderato di stoffa della BMW.

Davide guidava accanto a lui, imprecando con ardente puntiglio.

«Che succede?» domandò Diego.

«Ho sbagliato strada» rispose Davide. «Non riesco a orientarmi tra questi cazzo di sensi unici».

«Perché sono sdraiato?».

«Non ricordi nulla?».

«In che senso?».

«Come ti senti?».

«Non lo so. Che mi è successo?».

«Te lo spiego dopo. Dimmi come ti chiami».

«Come mi chiamo?».

«Rispondi, per favore».

«Diego».

«Quanti anni hai?».

«Trentasei».

«E io chi sono?».

«Davide Ricci. Neurologo. Sposato con Barbara, logopedista e animalista. Padre di un sedicenne convinto della futura colonizzazione dell'universo ».

« Adesso chiudi gli occhi: ce la fai a toccarti la punta del naso con l'anulare della sinistra? ».

« Con l'anulare della... aspetta... è un test neurologico? Ho preso un colpo in testa? ».

« Un uomo ti ha aggredito nella pineta, più o meno dieci minuti fa. Ho dovuto portarti di peso fino alla macchina ».

« Un uomo? E chi era? ».

« Uno bello grosso, con una cicatrice orrenda sul viso e un occhio annebbiato. Lo conosci: chiacchieravi con lui a un semaforo, il giorno che ti ho seguito ».

Diego aggrottò la fronte nello sforzo di ripescare un ricordo vago.

« Ho capito » disse alla fine.

Si aggrappò alla maniglia, sollevandosi lentamente col busto, poi si mise a trafficare con i pulsanti laterali per raddrizzare la spalliera.

« Mi fa un po' male la testa » mormorò.

« Ti porto al Versilia » disse Davide. « È a pochi minuti da qui, ammesso che riesca a trovare la strada. Lì dentro conosco un po' di gente, accorceremo i tempi ».

« Non mi serve un ospedale ».

« E a me non serve il tuo parere. Facciamo una TAC e ce ne andiamo ».

Diego scrollò la testa, tutt'altro che persuaso.

« Chi era quel tipo? » gli domandò Davide.

« Non lo so. L'ho visto per la prima e unica volta quel giorno ».

« Perché ce l'aveva con te? ».

« Va' a saperlo ».

« Non ti credo ».

« Be'... può darsi che gli abbia detto un paio di cosette ».

« Ossia? ».

« Non mi ricordo bene ».

«Sforzati».

Diego portò la mano alla nuca e se la palpò delicatamente.

«Andava un po' troppo forte» disse. «Così, quando l'ho raggiunto, devo avergli detto che sono le teste di cazzo più grosse a rischiare la pelle propria e quella altrui per arrivare cinque minuti in anticipo».

«Nient'altro?».

«Be'... forse ho detto che dubitavo che qualcuno avrebbe gioito nel vederlo arrivare cinque minuti prima, perché avrebbe significato essere costretti a guardarlo in faccia per cinque minuti in più».

«E lui?».

«Lui niente. Al verde è ripartito».

«Perché gli hai detto quelle cose?».

«Stare in macchina altera la mia percezione del lecito, come ti ho detto».

«Come ha fatto a beccarti?».

«Non ne ho idea. Ma se vuoi davvero vendicarti di qualcuno, il modo lo trovi».

«Credi ci abbia seguiti?».

«Possibile. Oppure è stata solo una coincidenza. Mi ha visto lì, mi ha riconosciuto e ha colto l'occasione».

«E ora che farai?».

«Non si era parlato di una TAC?».

«Con quel tizio. Ti vendicherai anche tu?».

«Non dire idiozie. Per me la faccenda finisce qui. Lui ha avuto quello che voleva, e io ho imparato una volta di più che le brutte maniere hanno un prezzo: quello di oggi è una commozione cerebrale».

«Se sei fortunato».

Arrivarono sul piazzale del Versilia. Diego aprì la portiera ed ebbe un capogiro, ma si riprese prima di cadere.

«Non morirò» disse a Davide, mentre questi lo sorreggeva. «Non oggi».

223

26

Quella notte Tommaso si svegliò per la seconda volta. Non era una novità per lui, che frammentava il sonno di microrisvegli, pallide apnee da cui emergeva mettendosi a fluttuare nel limbo della veglia: da lì guardava affiorare brevi intuizioni o lunghi monologhi ingegnosi, puntualmente bollati come ridicoli o puerili alla luce del giorno.

Il suo problema era un'eccitabilità animale: era disturbato dall'odore di bucato del pigiama, dalla luce che filtrava dal meato della toppa, dal frullo d'orecchie di Kociss. Una volta, a fargli aprire gli occhi, era stata la nivea caduta di una camicia appesa alla spalliera della sedia.

Si era già svegliato poco dopo mezzanotte, quando gli era sembrato di sentire lo scricchiolio del parquet che rivestiva il piano superiore. Chi c'era sul lastrico solare?

Avrebbe dovuto alzarsi a controllare, ma un minuto dopo si era già riassopito. Quando si svegliò per la seconda volta, poco dopo le due, si sentì vigile, attento e ricettivo come non gli capitava mai.

Comprese immediatamente perché.

Era il compleanno di sua madre.

E c'era il concerto, quella sera.

E lui avrebbe portato Francesca.

Tommaso non era propriamente un insonne. Ma gli furono sufficienti quei pochi secondi per intuire che l'intensità delle paure, e il fervore delle aspettative, cospiravano affinché la sua nottata di riposo potesse considerarsi conclusa.

Che poteva fare?

Come trascorrere le ore che lo separavano dal mattino?

Si mise a riflettere.

Aveva un telescopio sul balcone, e una notte limpida che sembrava chiamarlo a sé. Aveva il primo romanzo di Palahniuk, del quale Matteo gli aveva decantato la genialità paranoica. Aveva *Opposite*, il sesto album dei Biffy Clyro, appena scaricato da iTunes. E aveva una dozzina di tutorial di chitarra da seguire: non sapeva suonare e non era nemmeno sicuro di voler imparare, ma qualche tempo prima si era imbattuto in una serie di filmati intitolata «Chitarra Facile», ed era stato affascinato dalla comunicativa di David Carelse; l'affabilità e la passione di David lo avevano incuriosito al punto da spingerlo a un *non sequitur* da manuale: ipotizzare che a rendere affabili, passionali e seducenti le persone fosse la convivenza decennale con una chitarra.

E lui? Il problema non era la chitarra. Il problema era che qualunque cosa pensasse, dicesse o facesse si sentiva sul viso la stessa maschera da adolescente imbranato che emerge a fatica dalle lutulente sabbie mobili dell'infanzia. Ma forse sbagliava: forse le sue emozioni erano abbastanza prorompenti da deflorare la membrana di occhi, labbra, fremiti ciliari o che altro, perché quando aveva parlato al telefono con Francesca aveva percepito senza possibilità di equivoco la sua gioia per l'invito. Il problema, a questo punto, era che non aveva mai avuto l'impressione di essere affabile, seducente o passionale. Era un ragazzo normalissimo, con lo stesso taglio di capelli, la stessa faccia, gli stessi vestiti e gli stessi pensieri di decine di milioni di ragazzi identici a lui. Qual era l'aspetto seducente della sua personalità? Non ne aveva idea. Ma quella sera avrebbe incontrato la ragazza che amava, e nei confronti della quale un minimo di disposizione seduttiva avrebbe pur dovuto esprimerla.

Peccato che non avesse idea di cosa fosse, una disposizione seduttiva.

Quindi infilò le mani tra la nuca e il cuscino e si mise a fissare il soffitto, in trepida attesa di capirlo entro l'ora di colazione.

27

Il suo vecchio collega non era di turno al pronto soccorso, ma un infermiere lo riconobbe e li spedì di volata in neurologia.

Nel reparto lavorava il dottor Guglielmi, con il quale Davide aveva collaborato anni prima a Campo di Marte. Le probabilità che fosse di servizio erano poche, ma Davide sperò che la sorte gli fosse finalmente propizia – almeno finché ricordò che Guglielmi aveva ottenuto una discussa esenzione dal lavoro notturno, il che ridusse automaticamente a zero le probabilità di incrociarlo.

Diego cominciava a manifestare un preoccupante torpore.

Furono accolti da una giovane dottoressa con i capelli corti e l'espressione seria: Davide ebbe la sensazione – visibilmente reciproca, e sottolineata da caute circonflessioni sopracciliari – di averla già incontrata prima. Probabilmente a qualche convegno, si disse.

In ascensore si era intrattenuto con l'ipotesi di riferire al medico di turno una versione ampiamente ritoccata dell'accaduto, ma poi, appena la dottoressa si manifestò, a Davide bastò notarne il cipiglio diffidente per concludere

che era ipotizzabile la presenza di un trauma *accidentale* e-
quivalente a un paio di cazzotti presi in zone opposte del-
l'occipite, ma lui non padroneggiava gli espedienti retorici per somministrare a un viso come quello un surrogato
credibile senza tradirsi con qualche colossale stupidaggi-
ne. Non alle due del mattino, quantomeno.

Le raccontò dell'aggressione senza troppi dettagli: «Fa-
cevamo due passi accanto alla pineta e un tizio ha aggredito il mio amico».

La dottoressa aveva annuito, astenendosi dai commenti.
L'unico lieve sussulto era stato riservato proprio al suo nome: a Davide toccò tristemente supporre che il dottor Guglielmi le avesse parlato di lui associandolo a caratteristi-
che professionali poco edificanti.

Vatti a fidare degli amici, pensò.

Fu invitato a sedersi in sala d'aspetto mentre Diego veniva condotto in radiologia.

Seduto su una poltroncina di stoffa, Davide posò i gomiti sulle gambe e si prese il viso tra le mani.

Era stanco e avvilito. Solo poche ore prima si era esaltato
per come aveva sistemato il suo vicino, e ora se ne stava
chino a sperare che il cervello del suo amico non avesse
lesioni irreversibili. Si chiese che validità avesse un sistema
di pensiero che ti esponeva al rischio di ritrovarti nel sar-
cofago di una TAC sperando che le tue facoltà non fossero
regredite a quelle di uno scimpanzé.

La violenza era ripugnante.

Eppure era inevitabile.

Era inconcepibile.

Ma era produttiva.

Era vile.

Ma ti faceva sentire vivo.

Era disumana.

Eppure profondamente, indissolubilmente umana.

Come avrebbe risolto questo gigantesco *koan*?

All'improvviso qualcuno gli si parò davanti. Aveva ancora il viso tra le mani, ma percepì la variazione di luminosità un attimo prima dello spostamento d'aria.

Alzò gli occhi e vide il dottor Martinelli.

Era in piedi, a due passi da lui, e fissava Davide con gli occhi sbarrati.

Lui lo fissò a sua volta, con altrettanto sbigottimento. Vide la sorpresa del suo superiore scolorire rapidamente in disinteresse, o sottomissione a una priorità di altro tipo, ma per un attimo (il breve, terribile attimo prima di notare la Polo stropicciata, la barba di tre giorni e la generica apatia) Davide immaginò che Martinelli lo stesse sorvegliando da tempo, e che la sua agnizione coincidesse tutt'altro che casualmente con l'esito imprevedibilmente maldestro delle teorie di Diego su violenza e percezione di sé.

«Dottor Ricci» disse Martinelli. «Che ci fa qui?».

Davide alzò la mano per sistemarsi gli occhiali, un inconscio tentativo di guadagnare tempo, e si ritrovò ad annaspare con le dita tra occhi e naso, in cerca di qualcosa che non c'era.

«Aspetto un amico» disse. «È in radiologia. Ha avuto un incidente».

Martinelli annuì, poi si sedette accanto a lui.

Puzzava di sudore, notò Davide. E di qualcos'altro, che sembrava pipì.

«E lei?» gli domandò. «Che ci fa qui?».

Lui fece un gesto vago verso la zona interna del reparto.

«Mia figlia lavora in questo manicomio» disse. «È neurologa anche lei».

Davide fece lentamente di sì con la testa. Ecco perché il viso di quella donna gli era familiare. Probabile che l'avesse vista quindici o vent'anni prima, a uno dei ricevimenti organizzati dai suoi genitori: una ragazzina magra, lunatica, con i capelli a spazzola e l'apparecchio ai denti.

«Ne ho altri tre,» disse Martinelli «e mi odiano tutti con la stessa, commovente intensità. Tutti, tranne Laura. Lei non mi odia. Si limita a un po' d'insofferenza. Negli ultimi tempi non dormo granché e ogni tanto vengo a farle compagnia».

Si piegò sul lato sinistro e tirò fuori una busta dalla tasca posteriore destra dei pantaloni.

«Tenga» disse, porgendola a Davide. «È da giorni che me la porto dietro. Contavo di spedirgliela. Non credo che tornerò in ospedale».

Davide lo fissò, perplesso. Poi guardò quello che Martinelli aveva in mano. Una comune busta da lettera, sigillata con cura: sul retro notò il suo nome e indirizzo in stampatello.

«Come sarebbe non tornerà in ospedale?» chiese.

Martinelli rimase in silenzio. L'impressione fu che raccogliesse le ultime forze in un'adunata lenta, dimessa e penosa.

«Non è facile da spiegare» mormorò.

S'interruppe. Fissò il pavimento di resina verde scuro, cercando di lubrificare l'enormità di quanto si preparava a dire.

«Non mi resta molto tempo» disse. «Dai testicoli è passato al cervello».

Davide spalancò lentamente la bocca. Martinelli alzò la mano per estinguere sul nascere qualunque commento.

«C'è un che di maestosamente simbolico in qualcosa che parte dalle palle per fotterti la testa» disse. «È come se Dio avesse riservato il compito di ucciderti agli strumenti che ti hanno illuso di essere immortale».

Gli porse la busta. Davide la prese, imbambolato.

«Qui dentro c'è una serie d'istruzioni» disse. «Piccole cose di cui vorrei si occupasse appena verrà a sapere della mia morte».

Fissò Davide a lungo, cercando di estorcergli un assenso, ma Davide era troppo stordito per esprimere altro che stordimento.

«Non è quello che definirei un testamento, non si preoccupi» disse ancora Martinelli. «Per i miei beni ho predisposto tutto da un pezzo. Ho solo bisogno di una persona onesta e fidata a cui affidare... gli ultimi dettagli ».

« E quella persona sarei io? ».

« Certo ».

« E cosa dovrei fare? ».

« È scritto lì dentro ».

« E cioè cosa? ».

« Lo saprà a tempo debito. E comunque sarà ricompensato: ho disposto che lei riceva ventimila euro. O erano trentamila? Non me lo ricordo nemmeno ».

Davide scrollò la testa.

« Non è questione di ottenere qualcosa dalla sua morte ».

« Qualcosa otterrà comunque ».

« In che senso? ».

« Lei è il candidato più autorevole alla mia successione, non finga di ignorarlo ».

« Non mi pare il caso di parlarne ora ».

« Oh, immagini quanto interessi a me discutere di qualcosa la cui condizione è la mia prematura dipartita ».

« Non è questo il punto, in ogni caso ».

« E qual è? ».

« È che non posso prometterle di fare qualcosa che potrebbe andare contro i miei princìpi ».

« Ma se non sa nemmeno di che si tratta? ».

« Appunto. Mi anticipi qualcosa ».

Martinelli sospirò, spazientito.

« E va bene » sibilò.

Incrociò le braccia e si mise a fissare il muro davanti a sé.

« Per il mio funerale voglio una bara di opulenza vergognosa » disse. « Abete rosso, con intarsi e decorazioni in oro massiccio. Dopodiché voglio essere cremato. Mi sembra che la distruzione di un oggetto così costoso a poche ore dall'acquisto sia una limpida metafora delle ambizioni umane ».

Davide aggrottò la fronte.

«Le mie ceneri dovranno essere sparse alle pendici dell'Hekla» disse Martinelli. «Sa dov'è?».

«No».

«In Islanda. È il vulcano che ha ispirato a Leifs l'opera numero 52. L'ha mai sentita?».

«Non mi pare».

«Ho deciso che voglio passare l'eternità su un vulcano ancora attivo. L'Islanda è da decenni in testa all'Indice della pace globale, così da morto avrò la pace che non ho mai avuto in vita. Inoltre è una delle poche nazioni che i miei figli non hanno visitato grazie ai miei soldi: preferiscono le città d'arte o i paesi tropicali, e non posso certo biasimarli per questo. Ma stavolta dovranno godersi una bella scampagnata al freddo, perché saranno loro a dover spargere le mie ceneri sulle pendici dell'Hekla».

Qualcuno era apparso all'ingresso: Davide girò la testa e vide la dottoressa.

«A proposito del mio funerale» disse Martinelli. «Non voglio che durante le esequie siano innalzati inni al Signore, presso il quale sarò comunque accolto, che ci arrivi in un commosso silenzio o tra i gorgheggi di un coro d'incapaci. Figuriamoci. Ero a Parigi, nel 1969, quando von Karajan ha diretto per la prima volta l'Orchestre de Paris. Due anni dopo ero a Tel Aviv per assistere a un'esibizione di Bernstein. Ho visto Zubin Mehta a New York e James Levine a Boston, ed ero a San Siro per l'ultimo concerto di Bob Marley. L'ultima cosa che voglio è farmi accompagnare nel Regno dei Cieli dalle stecche di una ventina di represse che si godono a mie spese gli ultimi barlumi dei loro sogni di gloria».

«Basta così papà» disse la dottoressa.

Lui girò la testa.

«Oh, ecco la mia piccolina» disse. «Non fare quella faccia, tesoro. Tu sarai esentata dalla gita islandese».

«La prego di non badare alle parole di mio padre» disse lei a Davide. «Sta attraversando un momento comprensibilmente delicato».

Davide annuì, non sapendo cos'altro fare.

«Ora andiamo di là» disse la ragazza. «Lasciamo in pace il dottor Ricci. Ha avuto una serata complicata».

Martinelli fece di no con la testa.

«Prima deve promettermi che eseguirà le mie ultime volontà» disse. «Ho fiducia in lui. È una persona leale».

«Ci penserà il notaio a farle rispettare, papà».

«No» disse lui, scuotendo la testa con ostinazione infantile. «È il cugino di tua madre. È d'accordo con lei».

«Mamma rispetterà i tuoi voleri. Ne avete già parlato».

«No, invece. Tua madre fa solo finta di darmi retta. Non spedirebbe uno solo dei suoi figli alle pendici di un vulcano islandese, figuriamoci tutti e quattro».

«Quattro? Credevo di essere stata dispensata».

«Tutti e tre».

«Sarò io a vigilare, papà. Farò in modo che tutto vada come desideri».

«Tu? E cosa puoi fare, tu? No, ho bisogno di qualcuno a cui tua madre non possa arrivare».

«D'accordo» s'intromise Davide a quel punto. «Lo farò».

Seguì un breve silenzio.

Il proclama, giunto alla fine di una discussione dai connotati tipicamente domestici, si era colorato per contrappasso di una strana solennità.

Il primario guardò Davide con umida gratitudine. La dottoressa gli concesse un'occhiata non meno riconoscente, poi sollecitò suo padre ad alzarsi con lenti movimenti delle falangi, come se adescasse un gatto randagio, e lo accompagnò fuori dalla sala.

Davide li guardò allontanarsi.

Si chinò in avanti e si posò le mani sui capelli.

Dio, che razza di giornata, pensò.

E adesso? Che altro sarebbe successo?

Le parole del dottore gli vorticavano in testa. Dai testicoli al cervello, aveva detto. Quindi era la malattia che parlava per lui? Era un cervello metastatizzato la panoplia da cui aveva estratto le farneticazioni, gli impedimenti, i sabotaggi, i dispetti degli ultimi mesi? Per tutto questo tempo aveva odiato un povero vecchio malato?

Chi sono le persone che odiamo? E quelle di cui abbiamo paura?

Rialzò il busto. Aveva bisogno di riposo. Posò la testa contro il muro e chiuse gli occhi.

Quando si svegliò, una timida penombra aveva invaso la sala. Guardò l'orologio.

Le tre e quaranta del mattino.

Chi aveva spento la luce?

All'angolo opposto della fila di poltroncine c'era qualcuno. Un uomo con le braccia conserte, immerso nella semioscurità.

Davide si alzò. Sentì una fitta al collo. Aveva dormito per più di un'ora con la testa appoggiata al muro, ed era completamente indolenzito.

Si avvicinò alla sagoma nell'angolo.

Era il dottor Martinelli, prevedibilmente.

Sonnecchiava con la testa sul petto, russando piano. Doveva essere tornato a salutarlo, e vedendolo addormentato gli aveva usato la premura di spegnere la luce. Oppure voleva dormire lui stesso, chissà.

Davide allungò una mano e gli sfiorò una spalla. Era arrivato il momento di sentirsi triste per lui.

Si sedette sulla poltroncina accanto alla sua. Incrociò le braccia a sua volta, come volesse penetrare nella terribile realtà di quell'uomo riproducendone la posa.

Neuroni specchio. Eco posturale. Il contributo della fisiologia a un'empatia complicata.

Rimase immobile, con la testa reclinata, nella mimesi dell'uomo che aveva ammirato, poi detestato, infine ostinatamente frainteso, sentendosi vibrare dell'unica forma d'intimità che avrebbe mai condiviso con lui: il cordoglio per la sua fine.

Pensò all'evoluzione di quella serata e si lasciò sfuggire un piccolo sbuffo dal naso. Era uscito per mettere alla prova la solidità delle sue nuove certezze, ma si ritrovava a esercitare una volta di più il suo ruolo abituale: quello di anfitrione del dolore, di sospite e consolatore.

Dieci minuti dopo si alzò.

Doveva sapere come stava Diego. E non aveva dimenticato che alla fine di quella lunga notte era atteso dalla prova peggiore, al confronto della quale le risse da strada e le lente agonie erano poca cosa.

Era la mattina del quarantesimo compleanno di Barbara, ed entro poche ore gli sarebbe toccato somministrarle amorevole sostegno per uno sconforto che Davide rispettava, ma non capiva.

Chi sono davvero le persone che amiamo?

L'unica cosa certa era che aveva bisogno di dormire ancora, se voleva uscire indenne da quella notte. Quindi lasciò la sala e procedette spedito verso l'interno di neurologia, in cerca di informazioni e poi di qualche ora supplementare di sonno prima che quella lunga, complicata giornata avesse di nuovo inizio.

28

Pranzarono al Sementis di Pietrasanta. I genitori di Barbara non avevano familiarità coi livelli più estremi di veganesimo, né si facevano scrupolo di esporre le loro perplessità. La signora Grazia, in particolare, che in gioventù aveva fatto la cuoca e preparava deliziosi tordelli e rovelline (oltre a una favolosa garmugia, di cui Davide conservava un ricordo sensoriale inalterabile), non perdeva mai l'occasione di punzecchiare sua figlia.

«Che cos'è questa roba, tesoro?» disse, rovistando con la forchetta tra il formaggio di anacardi e la salsa di avocado di una tortilla di mais. Si erano accomodati nel cortiletto interno del ristorante.

«Perché non la assaggi e decidi semplicemente se ti piace, mamma?» disse Barbara.

«Oh, sono sicura che è buonissima. Chiedevo semplicemente informazioni».

«Non so cosa ci sia dentro. L'hai ordinata tu».

«La cameriera non si è spiegata benissimo».

«Avevi il menù. Perché non hai controllato? Sul menù di questo posto manca solo una spettroscopia molecolare di ogni ingrediente».

«Non c'è bisogno di essere sarcastica».

«È crema di anacardi fermentata, nonna» disse Tommaso. «È buonissima».

Emanuele, il padre di Barbara, aveva ordinato dei ravioli al ragù di alghe e ora li osservava incredulo, come se il contenuto del piatto avesse incrinato un qualche tipo di scetticismo metafisico circa la possibilità che un manipolo d'incompetenti fosse capace di produrre un raviolo senza usare uova o ricotta.

I genitori di Davide avevano telefonato per gli auguri quella mattina stessa, mentre lui dormiva. Erano in Corsica, ospiti nella villa di una coppia di amici. In estate viaggiavano parecchio e non era mai capitato che partecipassero al compleanno di Barbara, circostanza per cui Davide non si era mai strappato i capelli. Poco prima delle undici si era fatta viva anche Lucia, la sorellina scapestrata, che girava il mondo per una catena internazionale di alberghi ed era appena atterrata in Kenya.

Dopo pranzo si separarono. Tommaso era atteso al mare e prese un bus fino a Marina di Pietrasanta; il resto del gruppo tornò in città su due macchine.

Dallo specchietto, Davide controllava l'andatura dell'auto di suo suocero. Un paio di anni prima, durante il pranzo di Pasqua, Emanuele aveva furtivamente condiviso il sospetto di essere stato colpito da un'atassia cerebellare fulminante. Al che Davide lo aveva accompagnato a fare due passi sulle mura per sottoporlo ad almeno cinque varianti del test di Romberg, dall'esito delle quali aveva escluso danni all'encefalo o al cervelletto.

Non era la prima volta che l'uomo si autodiagnosticava danni cerebrali sulla scorta di sintomi trascurabili. Davide tendeva a escludere che fosse ipocondriaco: supponeva, piuttosto, che percepisse come illogico non approfittare delle autorevoli competenze di un parente medico, e che pertanto si sentisse in dovere di manifestare disturbi pertinenti alla sua specifica area d'intervento. Una seconda ipotesi, opposta alla prima e suffragata dall'accuratezza terminologica esibita da Emanuele, implicava il sospetto che l'uomo dubitasse dell'abilità professionale del genero e volesse testarla sottoponendogli malanni immaginari sempre più esotici: ormai Davide si aspettava da un giorno all'altro che il suocero lo mettesse a parte del timore di essere affetto dalla sindrome di Cotard o dalla prosopagnosia. Negli ultimi tempi parlava spesso della fine del mondo e indossava esclusivamente tute da ginnastica: a questo punto Davide non poteva escludere che i timori clinici, le divise di acetato e le fissazioni chiliastiche fossero sintomi di un lento ma effettivo decadimento cerebrale, motivo per cui aveva cominciato a parlargli, ascoltarlo e a tenerlo d'occhio con una certa assiduità; il che, probabilmente, era quello che suo suocero desiderava.

Poco dopo le tre Barbara uscì a prendere un caffè con un'amica. Davide ne approfittò per telefonare al Versilia e chiedere ulteriori informazioni su Diego. Avrebbe voluto chiamare prima, ma si era svegliato alle undici e a malapena aveva fatto in tempo a fare gli auguri a sua moglie (più imbronciata che in qualunque altro compleanno precedente, come previsto), inventare una scusa sensata per la sua assenza notturna, fare una doccia e correre a Pietrasanta.

Il dottore di turno gli confermò quanto comunicatogli brevemente dalla dottoressa la notte precedente: gli esami non avevano evidenziato nulla di serio, tanto che Diego era stato dimesso poco prima di pranzo. Grazie a Dio, pensò Davide, in barba alle sue diffidenze ontologiche. Rifletté a lungo se chiamare Diego al cellulare, ma alla fine si disse che aveva bisogno di riposo e preferì non disturbarlo.

Alle otto uscirono per raggiungere a piedi piazza Napoleone. S'incamminarono lungo via della Formica fino al sovrappasso ferroviario. Tommaso era irrequieto, una forma di turbamento inusuale per lui, che non sembrava aderirgli perfettamente, e sembrava tenerlo occupato a cercare di cogliere gli aspetti arcani dell'emozione in sé, più che ad affliggersene. Davide cercò di rievocare la trepidazione provata durante i preparativi del suo primo appuntamento, ma si scoprì incapace di ricordare esattamente quando, e con chi, avesse avuto un primo appuntamento. Era valido l'incontro brevemente concertato sul bus la mattina stessa e risolto in quindici imbarazzanti minuti di chiacchiere a ricreazione con Valentina, della seconda C, nell'autunno dei suoi tredici anni? Oppure un primo incontro implica necessariamente una minuziosa organizzazione, un luogo predisposto e vari giorni di febbrile attesa nell'imminenza di un evento così epocale?

Tagliarono per il monumento alla Patria Vincitrice. Nei pressi di porta San Pietro, Barbara disse a Davide che le persiane di casa Lenci erano chiuse dalla tarda mattinata del giorno prima. Davide replicò che in prossimità del primo grande esodo di agosto non era escluso che Massimo fosse partito per le vacanze, ma lei eccepì che nemmeno un individuo così spudorato avrebbe avuto il coraggio di andarsene al mare mentre suo figlio si sbatteva in città per quattro euro all'ora.

In via Vittorio Veneto il flusso di gente aumentò parecchio. Centinaia di persone stavano convergendo in piazza Napoleone: il loro allegro cicaleccio si stingeva nel rosa vaporoso del tramonto. A un tratto il nervosismo di Tommaso si materializzò nella figura di una ragazza in pantaloni corti, canottiera e capelli legati, che osservava a braccia conserte la vetrina di un negozio alla confluenza tra piazza e via. Accanto a lei c'era Anna, che chiacchierava esibendo un bel sorriso – unico particolare grazie al quale Davide riuscì a identificarla dietro il pallore sepolcrale del viso, l'ombretto procionesco e il rossetto color mattone. Poco dietro di loro notò Marco e Giorgio.

Tommaso rallentò l'andatura, come se la concretizzazione dei suoi timori gli avesse sabotato i collegamenti tra gambe e mente: l'attività motrice si disperse in una caotica fibrillazione, nel trasalimento delle cellule deputate alla forza cinetica.

« Eccoli » disse Barbara.

Anna si girò: riconobbe Tommaso e salutò agitando una mano.

Lui rispose alzando entrambe le braccia, con un'enfasi un po' eccessiva.

La ragazza corse verso di loro, salutò affettuosamente Davide e Barbara e infine abbracciò Tommaso. Francesca, che si era avvicinata insieme agli altri, attese il suo turno per stringerlo a sua volta. Sorpreso dal gesto, Tommaso s'immobilizzò in una posa sbilenca, con le braccia inerti. Poi fu il turno dei saluti tra maschietti, gli usuali contatti rituali tra nocche e falangi: Davide non si sorprese del lieve impaccio di suo figlio, poco pratico di convenzioni tribali.

Alla fine Francesca, Giorgio e Marco strinsero la mano a Davide e Barbara.

« Ciao ragazzi » disse Barbara, che presumendo di essere già stata ripetutamente citata non ritenne opportuno specificare il suo nome. « Io sono Davide » disse lui, che da questo genere di supponenza tipicamente materna era immune.

Tommaso attese in apnea il termine delle formalità, poi s'incamminò con i ragazzi verso la piazza.

Barbara si fermò a guardarlo mentre camminava accanto a Francesca. Davide, che non ignorava di certo il potere subdolo dei simbolismi, sapeva a cosa stava pensando sua moglie: Tommaso che si allontanava con una fanciulla in un tramonto cinematografico era la certificazione del tempo scivolatole addosso; aveva compiuto quarant'anni, e il cuore di suo figlio batteva per la prima volta in consonanza con un cuore diverso dal suo. Nulla sarebbe più stato come prima.

Le prese la mano: Barbara reagì con una breve scrollata

di spalle, nel tentativo non del tutto compiuto di lodare la sua premura consolatoria.

La piazza era completamente transennata. Dopo una fila di dieci minuti il gruppo esibì i biglietti a una coppia di addetti, parte di una schiera più vasta di individui impegnata a controllare e requisire. L'area riservata ai posti in piedi, notò Davide, era già gremita.

Una ragazza di colore giovanissima li scortò fino alle sedute, privilegio riservato ai possessori dei posti in tribuna. Treccine, ciondoli di legno alle orecchie, la lieve imperizia posturale delle donne che hanno appreso da poco come sincronizzare gli equilibri allusivi del proprio corpo, la ragazza offrì loro una panoramica di gambe nude sormontate da un sedere di turgore palladiano. Al centro della piazza c'era una piattaforma con un centinaio di poltroncine: era l'area VIP, un *corral* per politici, notabili e industriali, che garantiva ai suoi occupanti ulteriori vantaggi. Uno dei quali stava sopraggiungendo in quel momento dai gradini di metallo: una coppia di camerieri, ciascuno reggendo un vassoio di bicchieri colmi a metà di un qualche tipo di alcolico.

Il primo dei due, notò Davide, era Giovanni.

Chissà dov'era il suo sciagurato genitore.

Davide si augurò che fosse davvero in vacanza: che avesse silenziato il flebile richiamo al decoro del suo istinto paterno e se ne stesse al bar di qualche spiaggia a bersi una birra nel chiarore inzuppato d'arancio del tramonto tirrenico.

La ragazza li depositò in quinta fila. Durante il breve tratto a piedi, Davide aveva coccolato la residua illusione che Diego li avesse preceduti, ma la poltroncina vuota a un paio di file dalla sua lo restituì alla realtà. Più avanti, Tommaso e i ragazzi si erano già sistemati, e chiacchieravano fitto.

Poco dopo arrivarono le due coppie di amici che Barbara aveva invitato. Si salutarono con baci e virili strette di mano: Barbara incassò con finta noncuranza i complimenti degli uomini – espressi in forma di conferimento del titolo di Più Bella Quarantenne di Lucca.

A un tratto Anna, che seguiva le conversazioni degli altri senza troppo interesse, captò con orecchio esperto il breve fremito elettrico che precede l'inizio di ogni concerto.

«Cominciano» disse.

Le luci si spensero.

Sul palco, alla base del telone, due cerchi speculari presero a cambiare colore – giallo, azzurro, blu elettrico, fucsia – in un caleidoscopio sincopato al quale il pubblico reagì con approvazione rumorosa. Sintetizzatore e batteria scortarono altri piccoli dischi sulla sommità dei primi, cellule che si riproducevano al ritmo di un'ossessiva mitosi: due, quattro, otto sfere di luce che oscillavano in una coreografia elementare, collidendo in una gigantesca esplosione di onde e colori al centro esatto del telone. Ora sullo schermo era proiettato un colossale disco cangiante, simile a un'iride dilatata da un acido, o a una pulsar che irradiasse musica dal centro dell'universo.

A quel punto i primi due cerchi si rivelarono per ciò che erano: non una proiezione di luci, ma strutture fisiche che ruotarono lentamente, palesando Neil Tennant e Chris Lowe – i Pet Shop Boys – con le teste addobbate da enormi copricapo a semisfera che sembravano caschi da astronauta privati della porzione anteriore. Erano tutti e due in occhiali scuri: Lowe dominava un'imponente consolle di sintetizzatori.

I cinquemila in piazza si abbandonarono a un grido di gioia.

Neil attaccò un pezzo che Davide non conosceva, probabilmente qualcosa appartenente alla seconda fase della lunga e dignitosamente declinante carriera del gruppo. Barbara batteva le mani e muoveva la testa in un beccheggio ritmato. I ragazzi sembravano interessati più alla magniloquenza della scenografia che alle doti canore di Neil.

Francesca aveva lo sguardo fisso sul telone, e Davide notò quanto poco somigliasse al fratello. Ormai tutto il pubblico si era alzato dalle poltroncine e manifestava un entusiasmo sincero, che gli artisti sul palco, fermi al centro dei rispettivi spot di luce, non cercavano minimamente di fomentare. Decine di persone, sorprese dall'insolita puntualità dei due, vagavano ancora in cerca delle rispettive poltroncine – operazione complicata dalla precarietà psichedelica dell'illuminazione e dal forfait dei giovani accompagnatori, tutti apparentemente impegnati ad assorbire una grossa comitiva di ragazzi poco oltre l'ingresso.

Ora la folla ballava al ritmo di qualcosa che stavolta Davide era sicuro di avere già sentito, mentre sul reticolato di schermi della scenografia splendeva il glifo arrogante del dollaro, riprodotto in decine di esemplari. Era un'impressione, o qualcuno lo osservava dalla piattaforma?

Davide torse il collo in quella direzione, sbattendo le palpebre per incrementare la chiarezza della visuale.

Barbara si accostò al suo orecchio per chiedergli cosa stesse guardando.

Nulla, rispose lui. Lei lo esortò a godersi il concerto e si mise a danzare, le mani aperte accanto al petto, ammiccando con le labbra in sincrono sulla voce di Neil:

I've got the brains,
You've got the looks,
Let's make lots of money.

La canzone era davvero brutta – probabilmente la peggiore del repertorio dei Pet Shop Boys –, e Barbara penosamente negata per il ballo. Aveva milioni di qualità: era bella, intelligente, amorevole, simpatica, una madre meravigliosa con un'eccezionale padronanza dell'arte di non drammatizzare; ma Davide pensava che ballasse persino peggio di lui.

Neil concluse il secondo pezzo e salutò il pubblico.

«Buonasera Lucca, siamo i Pet Shop Boys!». Lo disse in

un italiano apprezzabile, che spedì in orbita il livello di eccitazione della piazza.

Disse qualcos'altro in inglese a proposito di quanto fossero felici di essere tornati in Italia, poi presentò il pezzo successivo, *The Pop Kids*. Cominciò a cantare sull'impeccabile tappeto sonoro prodotto dal suo laconico collega – impeccabile, certo, anche se non è facile cogliere errori di esecuzione in una sezione strumentale prodotta solo da sintetizzatori –, battendosi il ritmo con la mano sul lato della coscia.

A un tratto, dal settore di pubblico alla destra di Davide, uno strano silenzio s'insinuò lentamente nella confusione generale: sembrò quasi di percepire il progressivo rallentamento di decine di diaframmi, l'inibizione del ritmo respiratorio di una platea di fronte alla scena più spaventosa di un film.

Dalla piattaforma era sceso qualcuno.

Qualcuno che camminava con lentezza allucinata, lo sguardo fisso a terra e il sudore che gli brillava come una corazza sul petto nudo. Il fremito congestionato di musica e luci imprimeva al suo incedere l'epica di un sogno elettrostatico. C'era qualcosa d'inesorabile nella successione dei suoi passi, l'imperio di un potere antico quanto l'umanità. Continuava a camminare, lasciandosi dietro un alone di silenzio, mentre i contorni della sua identità cominciavano a emergere dal chiarore artificiale della notte.

Percorse il centinaio di passi dalla base della piattaforma fino al tratto di corridoio davanti a Davide.

Dalla mano gli spuntava un oggetto lungo e appuntito.

Alzò la testa.

Fissò Davide.

Il quale capì chi era solo in quel momento.

Giovanni.

Davide sbatté freneticamente le palpebre. Aveva l'impressione di sognare.

Cosa stava succedendo?

Giovanni alzò una gamba per oltrepassare la prima fila di sedili: due uomini si fecero rapidamente da parte, quasi tuffandosi nelle direzioni opposte. Davide guardò attonito il figlio del suo vicino scavalcare poltroncine ed eludere o-stacoli, con la determinazione di una creatura pronta a di-spensare morte tramite zanne, artigli e una consapevolez-za ancestrale dei punti vitali altrui. Ebbe il tempo di consi-derare quanto fossero state ingannevoli la timidezza del ragazzo, la sua benevola goffaggine, ora che la deflagrazio-ne dei suoi istinti stava per investirlo come la radiazione di una stella che esplode.

In quello stesso attimo sperimentò uno di quei folgoran-ti incastri d'intuizioni che ti proiettano sull'orbita di una consapevolezza così vertiginosa da comprimere le viscere.

C'è un solo modo di sfuggire a un processo per reati così gravi: non essere imputabile.

Se hai meno di quattordici anni, ad esempio.

La gente attorno a loro fissava allucinata il ragazzo ar-mato che oltrepassava le poltroncine per lanciarsi sulla sua vittima.

Davide non riusciva a muoversi, impietrito dalla rivela-zione.

Giovanni alzò il braccio e si avventò su di lui.

Barbara afferrò suo marito per la camicia, trascinandolo a sé un istante prima che la coltellata gli spaccasse il cuore.

La lama gli sfiorò il torace. Davide avvertì l'osceno sus-surro tra carne e metallo.

Vide lo schizzo di sangue.

Piombò su Barbara quasi abbracciandola. Per un atti-mo, sembrarono due danzatori in problematico recupero dopo l'errore di coordinazione di un elaborato *chassé*. Caddero a terra in silenzio, mentre Giovanni travolgeva un malcapitato in un capitombolo altrettanto rovinoso. Si ritrovarono tutti e quattro fra selciato e sedili, intrecciati in un duplice amplesso separato da una selva di gambe.

La visione di tumulto e sangue attivò un circuito collettivo nell'amigdala dei testimoni.

Era il segnale.

Le persone attorno a loro cominciarono a fuggire in tutte le direzioni. Gridavano, inciampavano a loro volta, aizzavano lo sgomento di una porzione di folla ancora più estesa.

Pochi secondi, e il panico si estese a mezza platea. Neil, dal palco, si accorse della scena: la osservò con il formale disappunto che si addice a una popstar britannica, poi smise di cantare e agitò piano le mani, sollecitando con la sua vocina querula l'arrivo della sicurezza.

Un attimo dopo, senza alcun motivo concepibile, irruppe il buio assoluto. Forse era uno snodo narrativo dell'apparato di schermo e riflettori, o forse un'assurda strategia antipanico, ma il pubblico lo interpretò come una perdita definitiva di controllo e autorità.

Si scatenò il terrore.

Ora migliaia di persone si muovevano all'impazzata, senza criterio, scongiurando salvezza da una minaccia teoricamente indeterminata, ma espressa in maniera così eloquente da giustificare una paura primordiale.

I Pet Shop Boys si erano già eclissati dietro il palco. Un uomo in giacca e cravatta, forse uno degli organizzatori, apparve dal nulla e si mise a gridare al microfono qualcosa che nessuno capì.

Venti secondi dopo la luce tornò. Davide e Barbara si erano rialzati, miracolosamente accuditi da un occhio ciclonico di quiete relativa.

Attorno a loro, una marea di disperati in fuga.

Barbara ripeteva ossessivamente il nome di suo figlio. Davide si premeva la mano sul lato destro del busto. Guardò la camicia zuppa di sangue, poi osservò tutt'intorno, soppesando l'eventualità di essere aggrediti di nuovo.

Qualcuno gli assestò una vigorosa spallata tra le scapole. Un uomo corpulento, con i capelli lunghi e un'assurda camicia arancione, spinse la sua torpida massa verso l'uscita travolgendo chiunque si frapponesse tra lui e la salvezza. Davide lo fissò con la bocca aperta, respirando a fatica.

L'impianto audio era saltato: gli amplificatori del lato sud agonizzavano, saturando l'aria di un sussurro sfrigolante. Davide guardò verso la base del palco: oltre la congestione di teste impazzite vide Francesca tra le braccia di Tommaso, addossato al reticolo di tubi d'acciaio della struttura. Poco più in là c'erano Anna, Giorgio e Matteo, le schiene incollate al palco e le mani allacciate, come aspiranti suicidi sul ciglio di un burrone.

Tommaso fissava suo padre.

Davide fissava lui.

In quel momento una figura si sciolse dall'abbraccio della folla.

Era Giovanni.

In mano aveva ancora il coltello.

Un rivolo di sangue gli scorreva dalla tempia al mento, e ora aveva l'aspetto definitivamente offuscato di chi ha valicato il crinale oltre il quale risolvere nell'omicidio i propri dilemmi è l'unica opzione possibile.

Era un'apparizione oggettivamente grandiosa.

Davide, suo malgrado, si ritrovò ad ammirare il ciclopico simbolismo della scena: un ragazzo dell'età di suo figlio, imprigionato in un'atroce alienazione, si preparava ad ammazzarlo sullo sfondo di una rovinosa isteria collettiva.

Si riscosse.

Non posso scappare, pensò.

Se lui e Barbara gli sfuggivano, c'era il rischio che Giovanni aggredisse Tommaso, rannicchiato e indifeso alla base del palco.

Che fare?

Non c'era tempo per riflettere. Le gambe gli stavano cedendo e tra poco non avrebbe più avuto la forza di difendersi.

Doveva battersi.

Si liberò dalla mano di sua moglie e avanzò di un passo verso il suo avversario.

All'improvviso qualcuno si fece largo nella calca gettandosi su Giovanni.

Barbara gridò.

Tommaso.

Scaraventò Giovanni a terra, cominciando a riempirlo di pugni.

Davide spalancò a sua volta la bocca, senza riuscire a emettere suoni. Guardò i due ragazzi contorcersi in una zuffa furibonda, incapace di muovere un muscolo, una mano a comprimere la ferita e l'altro braccio abbandonato lungo il fianco. Sentì il cuore contrarsi in una fitta di puro terrore animale, di fronte alla possibilità che stesse per accadere qualcosa d'irreversibile. Ma insieme al terrore percepì una strana sensazione, una specie di eccitazione, che a un tratto identificò, senza troppa sorpresa, come il fosco compiacimento per la prima espressione di violenza consapevole nella vita del suo primogenito.

Il resto avvenne in fretta. Un'ondata di persone travolse lui e Barbara. Si ritrovarono di nuovo a terra, calpestati, la donna che continuava a gridare il nome di Tommaso. Davide provò un nuovo soprassalto di disperazione al pensiero che succedesse l'irreparabile, una vertigine di dolore così intensamente tridimensionale che gli parve di sentirne la sanguinosa estrusione dal cuore verso ogni singolo atomo di pelle, muscoli e ossa: pensò che, se Tommaso fosse morto, la sofferenza gli avrebbe mandato in suppurazione qualunque organo vitale, anfratto anatomico o fibra di tessuto connettivo, fino a ridurlo a una massa urlante di dolore perpetuo. Poi qualcuno gli calpestò le caviglie, materializzando i prodromi di tutta quella sofferenza. L'uomo sul palco continuava a parlare, con effetti antipanico che oscillavano dal nullo al controproducente. Davide strisciò accanto ai supporti delle poltroncine, costringendo sua moglie a fare altrettanto, poi si rannicchiò in posizione fetale tenendola tra le braccia, resistendo con le forze residue ai suoi tentativi di divincolarsi. Un uomo con barba e occhiali inciampò su di loro, cadendo senza un grido. Barbara ne approfittò per sgusciare dalle sue mani. Davide cercò di fermarla sollevandosi sul braccio sinistro per afferrarle il lembo della camicetta, ma qualcosa lo colpì alla nuca, spedendolo di nuovo lungo disteso. Si tenne la testa tra le mani per quasi un minuto, boccheggiando penosamente, poi alzò appena lo sguardo. Da uno spiraglio emerse la visione di due maschi che si azzuffavano sullo sfondo grigio e inerte dello schermo.

Uno era Giovanni, ma l'altro non era suo figlio.

Somigliava a Diego.

Impossibile, si disse.

Quasi certamente era un uomo della sicurezza.

La scena aveva le sembianze confuse delle proiezioni che spuntano tra la fine del sonno e il primo risveglio: i due si contendevano a braccia alzate lo scintillio inquieto del coltello, quando l'attenzione di Davide venne attratta da un dettaglio che lo costrinse a spalancare nuovamente la bocca in un ovale di palpitante, insopprimibile, definitivo orrore.

Prima di perdere i sensi si ritrovò a sperare che tutta la scena fosse davvero un rigurgito del suo subconscio, una specie d'insopportabile rêverie, perché dal bordo del suo campo visivo si era insinuata l'agghiacciante visione di Tommaso a terra, in un'orribile postura disarticolata, con gli occhi spalancati e la maglietta intrisa di qualcosa che poteva soltanto essere sangue.

29

Aprì gli occhi, li richiuse.

(Dolore alla testa).

Quanto tempo dopo provò ad aprirli di nuovo?

Sollevò piano le palpebre.

Il dolore aumentava in proporzione alla luce. Strano, pensò, perché non aveva mai sofferto di emicrania, e agli amici raccontava sempre che l'unico mal di testa memorabile della sua vita aveva coinciso, sicuramente per caso, con il giorno del suo matrimonio.

Dov'era?

In posizione fetale, su un lettino nella sala d'aspetto al terzo piano di Campo di Marte, dove si trovavano i reparti di ostetricia e ortopedia.

Le sale d'aspetto di Campo di Marte si somigliavano tutte, ma aprendo gli occhi aveva notato il quadro accanto al bocchettone dell'estintore: una veduta della piana di Lucca, di cui l'autore, il famoso Alfredo Meschi, aveva personalmente fatto dono all'ospedale.

Il motivo dell'omaggio non era chiaro. Qualcuno diceva che in ostetricia fosse nato il suo primo figlio; altri che in ortopedia avessero ingessato il piede del pittore dopo una brutta caduta dalla bici. Comunque fosse, un paio di mesi dopo Meschi era tornato a Campo di Marte per regalare il quadro ai dottori di uno o dell'altro reparto. Il dipinto era stato appeso salomonicamente in sala d'aspetto, proprio a metà tra i due ingressi, particolare che si opponeva a una risoluzione postuma o induttiva del dilemma.

Davide realizzò in fretta che stava riflettendo su una questione irrilevante come il quadro per non fare i conti con qualcosa di traumatico.

Era un meccanismo difensivo che conosceva bene, avendolo adottato sin dalla prima giovinezza, senza che nel corso degli anni lo sfiorasse mai l'idea di rinnegarlo, anche quando la terapia psicoanalitica era sembrata proporre profilassi alternative. Non era, in ogni caso, una vera e propria rimozione, ma un semplice differimento temporale. Davide pensò che la nota diffidenza del neurologo davanti alla psicoanalisi discendeva quasi certamente dal fatto che lo iato ideologico e procedurale tra quest'ultima e le neuroscienze non sarebbe mai stato colmato. E forse avrebbe anche continuato a riflettere sui limiti gnoseologici della medicina contemporanea, se non si fosse reso conto che stava di nuovo guadagnando tempo prima di affrontare qualcosa a cui non era preparato.

Ma cosa?

Non era chiaro. Dai piani inferiori, rimbalzando sui muri, saliva l'eco di uno strano fermento.

Tentò di inalare profondamente, ma qualcosa gliel'impedì.

Una fasciatura.

Il suo torace era avvolto da bende.

Il respiro, poi, aveva una struttura asimmetrica, come se l'impulso nervoso fosse disperso o compromesso da una specie di debolezza monolaterale. A un tratto capì: il lato destro della sua gabbia toracica era stato anestetizzato.

Il sospetto di non essere lì a lavorare, già ampiamente suffragato dal fatto di trovarsi steso su un lettino, e in un reparto che non era nemmeno il suo, si tramutò in certezza. Nello stesso istante percepì la risonanza di un lontano dolore tra la settima e l'ottava costola, come se fosse caduto su uno spigolo, o qualcuno lo avesse colpito con un gancio sinistro o una ginocchiata o un'arma di chissà quale tipo.

Il che, si disse, almeno avrebbe giustificato fasciatura e anestesia.

Il dolore alla testa, a quel punto, poteva benissimo spiegare perché non ricordasse cadute o aggressioni, e non avesse idea di come fosse finito lì: alcuni traumi commotivi implicano un'amnesia retrograda, o anterograda, o più raramente entrambe, quindi era possibile che qualcosa, o qualcuno, lo avesse colpito alla testa abbastanza forte da scombussolargli il cervello.

Cercò di richiamare alla mente l'ultimo ricordo.

Chiuse di nuovo gli occhi.

Lo sforzo produsse la visione di Barbara che si asciugava i capelli: erano in bagno, e lui faceva pipì.

Un po' poco.

Il caos nell'edificio stava salendo di tono. Era un brusio diverso, più intenso e incontrollato, rispetto all'aggregato di suoni tipico della perenne emergenza di un ospedale: sotto al trepestio dei passi, al tumulto delle voci e allo sferragliare delle lettighe s'intuiva uno strano brontolio concitato, come se il piazzale fosse gremito da migliaia di persone. Durante i suoi primi mesi a Londra si era sciroppato almeno una ventina di turni di notte, ma non gli era mai accaduto di sentire nulla del genere, nemmeno dopo un brutto incidente che aveva coinvolto un autobus di ragazzini di ritorno dai Cotswolds – e in quell'occasione almeno duecento tra parenti e amici avevano preso d'assedio l'ospedale.

Quasi tutti i feriti erano del West End, riuscì a ricordare.

West End?

Serrò con forza le palpebre.

West End Girls.

Cos'era?

Il titolo di una canzone.

Perché gli suggeriva qualcosa?

Oh Cristo, si disse.

Cristo santo.

Improvvisamente ricordò. Annaspando tra i flutti della memoria, si preparò a gridare d'orrore. Un orrore totale, assoluto, disperato.

L'orrore incontenibile di un padre che ha visto, sul selciato di piazza Napoleone, il cadavere di suo figlio.

Spalancò gli occhi e la bocca, ma tra labbra e grido si frappose il viso di una ragazza. Era in piedi davanti a lui, con un'espressione così dolce e composta che lo convinse a grattare ogni grammo superstite di autocontrollo dal fondo del suo barattolo psichico. Davide fece scivolare le gambe a terra e si mise a sedere sul lettino, differendo il manifestarsi dell'orrore. Si trattava solo di capire chi fosse costei, pensò: ascoltarla o parlarle, congedarla il più in fretta possibile e poi trovare un angolino nel quale consegnarsi al dolore più intenso e perfetto che avesse mai provato.

Dopo il quale sarebbe morto, probabilmente.

(Molti anni prima, quando comunicava terribili notizie a figli o genitori di gente spirata, e tra le tante espressioni comprensibilmente stravolte di dolore genitoriale o filiale capitavano reazioni disegnate da una calma e da un'accettazione sovrumane, provava sollievo e fastidio allo stesso tempo. Il sollievo era attribuibile al fatto di non essere costretto a simulare comprensione per gli atroci contorcimenti dello strazio altrui; il fastidio, al sospetto di trovarsi davanti a manifestazioni d'inconcepibile disinteresse. Finché, col tempo, aveva capito che alcuni genitori o figli di persone morte esercitavano semplicemente il loro diritto al decoro: certi fatti umani sono strettamente connessi con le espressioni più intime e private di se stessi, e Davide, il giorno in cui si svegliò su una lettiga nella sala d'aspetto al terzo piano di Campo di Marte, capì di appartenere alla categoria di persone che dopo una tragedia immane ha ancora le risorse necessarie per occultare la sofferenza agli occhi del prossimo).

L'identità della ragazza rimaneva nebulosa, ma non dubitò che, appena avesse aperto bocca – o atteggiato il viso a qualcosa di diverso da una dolcezza vagamente stolida –, gli avrebbe concesso qualche indizio supplementare.

Osservata nella modalità consueta, tra l'altro, e non dalla visuale subprospettica di una lettiga, la ragazza sembrava molto più giovane di quanto avesse creduto.

Non poteva avere più di sedici o diciassette anni.

L'età di suo figlio.

Forse era una sua amica.

Il pensiero gli procurò un altro accesso di dolore insostenibile, una fitta così lancinante che stavolta non provò nemmeno a camuffarla dietro una coltre di dignità. Si posò una mano sugli occhi, preparandosi a singhiozzare, senza più curarsi della presenza di costei.

La quale, finalmente, disse tre parole:

«Tommaso sta bene».

Le pronunciò in tono così atrocemente flemmatico che per un attimo significato e significante parvero accapigliarsi.

Davide tolse la mano dal viso e fissò la ragazza, con gli occhi sbarrati, il mento che ancora sussultava nell'imminenza del pianto.

Chissà dove sono finiti i miei occhiali, fu la prima, assurda cosa che pensò.

E la seconda: questa ragazza è in gravissimo stato di shock.

Tommaso non stava bene.

Ma era vivo.

Ed era viva anche Barbara, grazie a Dio.

L'ospedale sembrava un formicaio in fiamme. Gli ascensori erano stati requisiti dal personale, quindi Davide e la ragazza salirono in terapia intensiva usando le scale. Davide camminava con difficoltà e si sentiva decisamente strano. L'ottundimento da trauma si sommava al languore postanestesia, e il lento, progressivo recupero di ricordi gli dava le stesse sensazioni che Tommaso aveva riferito di aver sperimentato dopo la festa di compleanno di Marco Callipo. In pratica, galleggiava in una specie di sogno: i medici e gli infermieri che gli sciamavano intorno erano come ectoplasmi, disincarnati, così renitenti a farsi catturare dai sensi che più volte dovette reprimere la tentazione di toccarli per accertarsi che fossero veri. Visi vagamente familiari gli recapitavano cenni di saluto, ma lui non riusciva a opporre altro che un'espressione stravolta. Chiese a Francesca, di cui aveva laboriosamente completato l'identificazione, di prenderlo per mano e aiutarlo a salire: era la preghiera di un accoltellato in stato traumatico, e lei, sebbene non avesse detto più una parola e procedesse in un'allarmante catatonia, non ci pensò due volte ad accontentarlo. Davide si lasciò sostenere, anche se in realtà voleva solo toccare un corpo umano e infilare un piede nella staffa di quella realtà da cui il trauma lo aveva disarcionato.

Arrivarono alla porta di una delle sale di degenza di terapia intensiva.

« Ora vado da mio fratello » disse la ragazza.

« Sta bene? » le chiese Davide.

Lei fece di sì con la testa, nella stessa paurosa imperturbabilità esibita fin lì, e si allontanò.

Da una porta poco lontana uscì un collega di reparto, il dottor Pieri. Avvistando Davide sgranò gli occhi dietro le lenti senza montatura.

« Come ti senti? » chiese, appena gli si fu avvicinato.

Aveva una cartella in mano e lo sguardo ebbro di adrenalina.

« Un po' confuso » rispose Davide. « Che ore sono? Il mio orologio fa le nove e trentasei ».

L'altro estrasse il cellulare dalla tasca del camice.

«Le tre e dieci» disse. «Sei arrivato in ambulanza poco dopo l'una, e hai ripreso conoscenza mentre ti medicavano».

«Non ricordo nulla».

«Dopo che ti hanno ricucito hai detto a Silvestri che ti sentivi abbastanza lucido da fare la tua parte. Quindi sei sceso in neurologia a cambiarti. Da quel momento non abbiamo avuto più notizie, finché un'infermiera ci ha detto di averti visto dormire su un lettino in ostetricia, al terzo piano. Abbiamo accolto collegialmente la notizia con un certo sollievo».

«Come sta mio figlio?».

«Se la caverà. I tagli non sono gravi, anche se lo shock è profondo. Non ha ancora ripreso conoscenza, ma la TAC è pulita. Per ora gli abbiamo attaccato un rimpiazzo volemico. Che diavolo è successo, Davide? Per quanto ne so, siete gli unici ricoverati con ferite da taglio».

«È una storia complicata».

«Giù in pronto soccorso parlavano di un attacco terroristico».

Davide scosse la testa.

«No, no» disse. «Ti racconterò tutto, ma ora ho bisogno di vedere Tommaso. Dov'è Barbara?».

«Qui dentro. Sta bene, non preoccuparti. Non ha le scarpe, e non le ho chiesto perché. Spero solo che il tacco a spillo che abbiamo estratto due ore fa dalla guancia di un poveraccio non sia il suo».

«Com'è la situazione?».

«Hai presente *Hellzapoppin'*? Secondo la polizia i feriti sono quasi quattrocento, più o meno equamente distribuiti fra gli ospedali cittadini, ormai tutti al collasso. Qui ci sono i più gravi, e resistiamo con il solito ardore da trincea innaffiata di iprite. Abbiamo un ragazzo in coma per un colpo alla testa, altri ventisette traumi cranici, una quarantina di fratture assortite e qualche piccola emorragia. Per i ricoverati in semplice stato di shock abbiamo allestito una terapia di gruppo in sala mensa: l'uscita di servizio viene tenuta aperta come invito a togliersi dalle palle il prima possibile ».

« C'è qualcuno in pericolo di vita? ».

« Sì, io. Da una settimana ho la febbre da fieno, sono in servizio da quattordici ore, e la mia concentrazione plasmatica di caffeina è almeno dieci volte quella raccomandata. Non sottoscrivo nessuna delle affermazioni fatte negli ultimi cinque minuti. Tranne una ».

« E sarebbe? ».

Gli posò una mano sulla spalla.

« Tommaso se la caverà ».

Davide aprì la porta senza bussare. Barbara era seduta accanto al letto. Tommaso aveva testa e mani fasciate. Poco sotto la clavicola sinistra s'intuiva un rigonfiamento che sembrava l'estrusione di un pacemaker appena inserito.

Davide soffocò in gola un singhiozzo.

Barbara non si era girata. Aveva i capelli raccolti da una molletta a forma di farfalla che suo marito non le aveva mai visto. Era senza camicia: la spallina sinistra della canottiera era strappata, i lembi penduli ai lati del busto come fiori morenti.

« Ciao » disse Davide.

« Ciao » rispose lei.

« Come sta? ».

« È vivo » disse. « Per ora mi basta questo ».

Davide si avvicinò fin quasi a sfiorarla. La ferita al costato cominciava a fargli male. Sporse il busto in avanti e diede uno sguardo prolungato alla flebo, sospesa a un metro da Tommaso come un piccolo e rubicondo angelo custode.

« Non è grave » disse.

« Come fai a dirlo? » disse lei. « Hai poteri magici? Non mi risulta. Quindi ti prego di evitare diagnosi a uso e consumo della serenità di tua moglie ».

«C'era Pieri, qui fuori. Me l'ha detto lui. E poi questa zona del reparto è riservata ai pazienti meno gravi».

Lei fece un lungo sospiro.

«Forse non te ne sei accorto,» replicò «ma l'ospedale trabocca di feriti. Non credo abbiano applicato criteri così rigorosi nella distribuzione dei posti letto».

Davide non disse nulla. Per un po' cercò di misurare l'ampiezza dei suoi malesseri fisici, aumentati d'intensità in sospetta coincidenza con l'ingresso nella stanza. Il silenzio era tale che aveva l'impressione di udire lo sgocciolio del liquido nella flebo.

«È colpa tua» disse a quel punto Barbara.

Le posò la mano sinistra sul braccio, ma lei eseguì una serie di lente e delicate microtorsioni del busto per scrollarsela di dosso.

Davide si preparò a subire una lunga e sacrosanta sfuriata. La ferita alle costole gli impediva di incrociare le braccia, quindi decise di abbandonarle lungo i fianchi, flettendo la testa in avanti nel classico atteggiamento dell'uomo pentito: postura che gli sembrò denotare una piena e matura ammissione di responsabilità. Ma Barbara non disse altro. La sua propulsione polemica sembrava essersi esaurita nella semplice sentenza.

Era colpa sua. Non c'era altro da aggiungere.

Il che lo insospettì.

La sua innata mansuetudine, e la fondamentale ragionevolezza di sua moglie, avevano diradato a livelli impensabili la frequenza dei loro litigi, ma allo stesso tempo incrementato l'intensità specifica di ogni singolo episodio: ovviamente era sempre Barbara a non voler dilapidare le potenzialità catartiche di una sfuriata. Fino a quel giorno non era mai accaduto che si lasciasse sfuggire un'occasione per sfiancare suo marito di dimostrazioni logico-empiriche sulla fondatezza del suo presunto torto: era in grado di prolungare la discussione fino a notte inoltrata, punteggiando i suoi ragionamenti di equilibrismi retorici così vertiginosi da far impallidire un erista. Com'era possibile che si tirasse indietro ora che poteva inchiodarlo con accuse inoppugnabili?

Era stanca? In pena per Tommaso?

Proprio in quel momento, come a voler chiarire i suoi dubbi, Barbara si chinò in avanti posandosi il viso tra le mani.

«Davide» disse piano.

Lui piegò il busto di lato per osservarla, manovra che gli procurò un'altra fitta di dolore. L'effetto dell'anestetico era ormai svanito: a quel punto aveva una mappa recettoriale completa di tutti i suoi traumi corporei. Qualunque movimento facesse, c'era sempre una porzione di tessuto contuso o infiammato a ricordargli che il prezzo da pagare per la sopravvivenza era un conto di parecchie voci.

Barbara rimase in quella posizione, come se il buio delle mani a coppa fosse il luogo ideale da cui trasmettere informazioni.

Ma quali?

«Potrei sbagliarmi» mormorò.

Davide si chinò ancora un po' in avanti. Al mal di testa si aggiunse un lieve capogiro.

«Non ne sono sicura,» disse ancora «ma ho paura che a Diego sia successo qualcosa di brutto».

Davide aggrottò la fronte.

Diego?

Si era dimenticato anche di lui?

No.

No di certo.

Il suo amico non aveva ruoli in quest'assurda vicenda, se non quello di fraintendimento visivo. Una delle cose che ricordava era proprio di aver scambiato per Diego l'addetto alla sicurezza che lottava con Giovanni. Cosa poteva essergli accaduto? Nulla. Diego era a casa a dormire, o al limite si preparava a posare le chiappe sul suo *zafu* per gli elaborati rituali del mattino. Che può mai accadere di pericoloso a un meditatore antelucano? Non risultava che una sola ambulanza fosse mai arrivata a Campo di Marte trasportando un monaco zen, né altre categorie di praticanti seriali.

«Non so da dove sia spuntato» disse Barbara. «Aveva quasi disarmato Giovanni, quando sono finiti a terra tutti e due. Giovanni ha battuto la testa sul sostegno di cemento delle transenne: Dio, un rumore *terrificante*. Come avrò fatto a sentire il suono di una testa che si spacca in mezzo a quell'inferno?».

Tirò su con il naso un paio di volte prima di continuare.

«Poi ho visto Diego che si alzava a fatica» disse. «Oh, Davide. Non riuscivo a credere ai miei occhi».

Cominciò a singhiozzare piano.

«Aveva il coltello conficcato nella pancia» disse. «È rimasto a guardarselo, come se non riuscisse a capacitarsi che quell'affare gli spuntasse dal corpo. Io ho iniziato a urlare, o forse non avevo mai smesso. Lui si è girato e mi ha guardato, quasi volesse pregarmi di non perdere la testa, che aggiungere le mie grida a quel casino non avrebbe risolto granché. Poi si è allontanato, tenendosi le mani attorno alla ferita. A quel punto ho visto Tommaso per terra e non ho capito più niente».

Davide annuì lentamente, senza dire nulla.

La testa aveva ripreso a girargli vorticosamente.

Guardò i piedi nudi di sua moglie.

Affiorò un altro ricordo: quando erano usciti di casa, Barbara indossava un paio di Converse alte.

Nulla che potesse sfilarsi involontariamente, dunque.

Si domandò se un giorno si sarebbe ricordato di chiederle in quale momento di quella lunga notte avesse deciso di togliersi le scarpe, e perché.

30

Aprì gli occhi, poi li richiuse.

Non molto tempo dopo li aprì di nuovo.

Di notte si era sentito scuotere da convulsioni diffuse e violente, qualcosa di simile agli impulsi di un defibrillatore manovrato da un dottore molto inesperto, o molto sadico, finché il tremito si era ridotto lentamente a una lieve vibrazione.

Il suo braccio sinistro era aperto a novanta gradi – la mano affondava nell'erba fresca e umida.

Il braccio destro era steso sulla pancia, accanto alla ferita.

Aveva estratto il coltello dopo pochi passi, fra gli strepiti raccapricciati dei testimoni: non voleva inorridire nessuno, ma gli sembrava altrettanto sconveniente esibire un'appendice sanguinolenta dall'ombelico. Non aveva idea di come fosse riuscito a non farsi travolgere dalla folla, né ricordava come avesse raggiunto la macchina.

Sul sedile posteriore c'era un asciugamano che ogni tanto usava di notte, per meditare sulle colline, ma si trattenne dall'usarlo perché pensò che fosse troppo sporco per tamponarci la ferita.

Dopo dieci minuti era arrivato al monastero. Era sceso

dall'auto, nel silenzio affettato da sirene lontane, e zoppicando si era incamminato lungo la via. Dopo una ventina di passi si era appoggiato alla staccionata di legno. Aveva guardato il bosco oltre la radura.

Il gelido riflesso della falce di luna sulle chiome.

Il flusso di sangue era diminuito, ma all'aroma ferroso si mescolavano zaffate di qualcosa che aveva l'odore di una pattumiera.

Aveva ripreso a camminare.

Aveva superato il monastero e si era inoltrato nell'erba.

Si era detto che sapeva molte cose, ma non era sicuro di sapere perché si fosse diretto a casa, invece che in ospedale. E in quel momento non sapeva perché stesse andando verso il bosco, invece che a casa.

(Forse perché da molto tempo, da prima ancora di penetrare il significato di sedere per ore ad accogliere la noia di un'immobilità priva di scopo – un'entità ridotta ai minimi presupposti di respiro e attività elettrica funzionale, l'argine alle lusinghe della mente, la frammentazione ologrammatica dell'io, lo sgocciolio dei pensieri – il suo rapporto con la morte era ispirato alla più rilassata familiarità. Non lo preoccupava granché sapere che entro poche ore sarebbe morto. Morire era l'epitome dell'inevitabilità).

A metà strada tra la fine del sentiero e il bosco era inciampato in una zolla. Da quel momento in poi doveva essersi concesso un breve svenimento, perché le uniche cose che ricordava erano di essersi sdraiato sulla schiena e poi, non molto tempo dopo, di aver tremato in preda alla lunga crisi convulsiva.

Quando riaprì gli occhi, la nausea era così violenta da impedirgli di respirare.

Odiava la nausea.

La mattina in cui suo zio l'aveva raggiunto a casa per dirgli che i suoi genitori erano gravemente feriti, lui aveva intuito subito che quel «gravemente feriti» era un misericordioso eufemismo per «morti». Erano state le pause a farglielo capire. Non i singhiozzi di suo zio, non il suo aspetto stravolto: il vuoto tra le parole.

Alla fine era sempre il vuoto la parte fondamentale.

Suo zio l'aveva abbracciato, e lui l'aveva lasciato fare. Poi aveva detto che aveva bisogno di andare in bagno. Lì si era guardato allo specchio, aveva sorriso per scoprire se ne sarebbe ancora stato capace, poi si era chinato sul water e aveva vomitato.

Da quella mattina la nausea non l'avrebbe abbandonato per mesi. Aveva imparato a circoscriverla ai momenti più opportuni, come una ragazzina bulimica che modula le crisi di fame e il pentimento emetico in funzione dell'assenza dei genitori.

Poi, con il tempo, anche la nausea se n'era andata.

Tutto passa, alla fine.

Ritrasse a sé il braccio sinistro, stringendo il pugno per riattivare la circolazione. La pelle della mano era gelida.

Si puntellò sul gomito sinistro e alzò il busto.

Doveva sbrigarsi.

Aveva acquisito così bene l'automatismo dell'abbandono che aveva paura di lasciarsi andare di nuovo. Non voleva restare lì. Non voleva perdere i sensi sul prato rischiando che i suoi confratelli lo trovassero in preda agli ultimi spasmi da bestia ferita.

O, peggio ancora, morto stecchito.

Si alzò a fatica. La testa gli girava ancora, ma la nausea era stata avviluppata dalla sua volontà e ridotta a un bolo fibroso tra gola e naso.

Non voleva morire lì.

Zoppicò lentamente verso il bosco, sotto il cielo aggredito dall'alba. Premeva le mani sulla ferita, anche se l'emorragia si era fermata. Non odiava il ragazzo a causa del quale era ridotto così – a causa del quale morirò, pensò fosse il caso di rettificare. Compassione e accettazione erano regole fondamentali dello Zen, e lui di regole conventuali a proposito di compassione e accettazione ne aveva già infrante a sufficienza. E poi era chiaro che il ragazzo aveva agito in preda a un raptus, un genere d'impulso nei confronti del quale si sentiva dolorosamente indulgente, da quando gli era toccato attribuirgli la morte dei genitori.

Entrò nel bosco.

Per un po' si mise a soppesare l'ironia di una fine che coincideva con un atto di violenza accidentalmente autoinflitta: poi abbandonò quei pensieri senza rimpianti, perché non aveva mai attribuito eccessiva dignità culturale a coincidenze e contrappassi. Certe cose accadono, tutto qui: non aveva bisogno della consolazione di una volontà superiore, né di una vuota architettura di simboli.

Non voleva essere consolato: voleva raggiungere il fiume.

E al fiume arrivò, dopo una camminata che gli parve interminabile. S'inginocchiò sull'argine e guardò l'acqua scorrere. Aveva freddo e caldo allo stesso tempo, ma non si sentiva molto peggio di prima.

Quasi senza accorgersene, piegò le ginocchia per assumere la postura *seiza*, unendo le mani nel *mudra* cosmico: il dorso della mano sinistra poggiato sul palmo della destra, con i pollici uniti a formare un ovale.

Che significava quel rituale?

Non se lo ricordava più.

La nausea si era ridotta a un lontano rimprovero. Prima di scivolare in uno stato di rilassamento si chiese se avesse la febbre.

Probabile, si rispose.

Chiuse gli occhi.

Quando li riaprì, ore o minuti dopo, si accorse che qualcuno lo stava cercando.

Vide l'uomo, ma l'uomo non riusciva a vedere lui.

Il sole era alto sopra la collina.

Il tempo non esisteva più.

In cielo, neanche una nuvola.

31

Trovò una vecchia camicia di ricambio nell'armadietto dello spogliatoio. Si sfilò con cautela la maglietta e controllò la fasciatura. Poi si vestì, si pettinò e uscì per raggiungere l'ufficio.

Aggirò la scrivania e si lasciò cadere sulla sedia.

Piegò ad angolo retto le braccia, le posò sul tavolo e adagiò la fronte sul polso della mano sinistra. Chiuse gli occhi per un paio di minuti. La testa continuava a inviargli piccoli segnali di protesta. Non aveva idea di dove fosse il suo cellulare, e non era abbastanza lucido da scovare una modalità alternativa per recuperare il numero di Diego.

In quel momento squillò il telefono.

«Ho sentito pronto soccorso, chirurgia e terapia intensiva» disse Lucio. «Il tuo amico non c'è. Forse è al San Luca, o al Cisanello».

Davide chiamò il centralino e si fece passare il primo ospedale. Chiese di parlare con chirurgia, e una voce femminile gli passò il reparto. Al quindicesimo squillo non aveva ancora risposto nessuno. La chiamata rimbalzò al centralino. La ragazza disse laconicamente che dovevano essere tutti molto occupati.

«Immagino» commentò lui.

Ripeté la procedura con il Cisanello di Pisa e stavolta chirurgia rispose. Il dottore disse che l'unico con ferite da taglio arrivato nelle ventiquattr'ore precedenti era un barista che si era affettato due falangi la sera prima: quasi tutti i feriti da piazza Napoleone, gli spiegò un po' pedantemente, avevano le tipiche conseguenze da evento traumatico di massa – ematomi, fratture, schiacciamenti e un paio d'infarti. Ma nessun accoltellato.

Davide riattaccò. Intrecciò le dita davanti alla fronte, chiuse di nuovo gli occhi e si mise a riflettere. Poi afferrò di nuovo la cornetta, e si sorprese a ricordare a memoria il numero di una compagnia di taxi che non usava quasi mai.

Il sole era sorto da poco. Diede un'occhiata al piazzale dal pianerottolo delle scale di servizio.

La folla era imponente. Davanti all'ingresso un gruppo di cameramen, le cineprese in spalla, chiacchieravano in attesa dei collegamenti mattutini con i rispettivi notiziari. Poco lontano, un agente scriveva qualcosa chinato sul cofano di un'auto con i lampeggianti accesi.

Davide scese lentamente fino a uno degli ingressi riservati ai fornitori.

Ancora prima di uscire vide Massimo Lenci. Era seduto sul muretto del giardino, con un mozzicone spento tra le dita e lo sguardo fisso su una porzione di muro priva di apparenti motivi di indagine o interesse.

Davide si immobilizzò sulla soglia.

Massimo si voltò e si accorse di lui. I suoi lineamenti parvero deformarsi in un impeto di sentimenti repressi – la bocca semiaperta, gli occhi socchiusi, il fremito della pappagorgia –, ma erano solo i preparativi di uno sbadiglio che abortì nell'istante in cui capì chi aveva davanti.

Si fissarono senza ostilità. Negli occhi del suo vicino, Davide intuì le stesse cose che sentiva nei suoi. Stanchezza, afflizione, lo sforzo insostenibile di recuperare il piccolo gregge di certezze disperso nella nebbia di quella notte.

Massimo tornò con lo sguardo all'angolo di muro di poco prima.

«Carlos ha visto ogni cosa» disse. «Mi ha detto che è stato mio figlio a combinare tutto il casino».

Davide non riuscì a trattenersi dall'annuire.

Massimo rimase in silenzio per un po'.

«Ha cominciato a comportarsi in modo strano quando aveva otto o nove anni» disse alla fine.

Gettò la sigaretta davanti a sé.

«Piccoli atti di autolesionismo, soprattutto. Rubava le mie lamette da barba e ci si tagliuzzava le dita, oppure si bruciacchiava i polpastrelli con i fiammiferi. Poi si è messo a picchiare i compagni di classe, e per *picchiare* intendo far male, non spintoni e tirate di capelli. Mordeva dita e orecchie, rifilava cazzotti, stringeva colli. Sua madre dava la colpa a me: diceva che era il mio atteggiamento a eccitare il tipico istinto violento maschile. Ma per me, nel comportamento di mio figlio, non c'era quasi niente di tipico. I suoi erano rancori intensi, irrazionali. Era come se per lui il tempo non esistesse: a dodici anni soffriva ancora per i torti subìti dai compagni delle elementari. Alla fine convinsi mia moglie a portarlo da uno psicologo. Ci disse che Giovanni aveva una forma insolitamente grave di... disturbo oppositivo provocatorio. Mi pare si chiami così».

Si guardò le mani.

«Dato che il problema peggiore era l'incapacità di gestire la rabbia, diede al ragazzo dei farmaci, e a noi due qualche consiglio per rasserenare il clima domestico. Per un po' le cose andarono meglio: niente più lamette e fiammiferi, e soprattutto niente botte a scuola. Anche se il prezzo da pagare era vedere mio figlio perennemente intontito dai farmaci. Alla fine di quell'anno sua madre se ne andò di casa per seguire in Australia un allevatore

267

di tori. Giovanni si attaccò a me in modo morboso. Cominciai a portarmelo dietro ovunque. Una sera d'estate mi misi a giocare a carte in un bar con un balordo che conoscevo di vista. Giovanni era in veranda, mezzo addormentato sul dondolo. Io e quel tipo iniziammo a litigare. Non so bene perché. Cominciammo a insultarci, a spintonarci, finché quel bastardo prese la bottiglia e me la spaccò in testa. Il sangue mi colava sulla faccia. Non lo vidi arrivare, mio figlio. E non vidi che aveva in mano un cavatappi».

Si posò le mani sulla testa.

«Colpì l'uomo alla gola. Lo guardai cadere per terra. Vidi il sangue schizzargli dal collo. Non riesco a dimenticare la sua espressione mentre Giovanni gli montava sul petto e continuava a colpirlo. Alle braccia, alle spalle. Non si sarebbe fermato. Avrebbe continuato fino a ucciderlo. Ci fiondammo in tre su di lui. Prima di riuscire a bloccarlo mi beccai un paio di fendenti alla mano».

Chiuse gli occhi.

«Risarcire quell'uomo mi è costato quasi tutto quello che avevo. Giovanni lo hanno spedito in una comunità psichiatrica. Sono andato da lui ogni martedì e venerdì degli ultimi quattro anni. Sua madre non ha mai smesso di scrivergli. Gli mandava libri sull'Australia, vestiti, piccoli regali. L'ultima volta gli ha spedito quel boomerang».

Aprì gli occhi e rialzò il busto.

«I medici della comunità mi avevano assicurato che il suo disturbo era diventato gestibile» disse. «In pratica usando le stesse parole dello psicologo».

Alzò lo sguardo su Davide.

«Non è un peccato che di queste previsioni sballate finisca sempre per pagare il prezzo qualcun altro?».

C'era una pena sincera, sul suo viso.

«A questo punto dimmelo tu, dottore. Che ne sarà di mio figlio quando uscirà dal coma? Non posso scappare per sempre. Come riusciremo a contenere la sua rabbia?

Come faremo a salvarlo da se stesso? A salvarci da quello che abbiamo risvegliato dentro di lui? ».

Il taxi lo aspettava all'incrocio di via Borgognoni.

In un cassetto della scrivania aveva recuperato le quattro banconote da venti che teneva di riserva nel caso avesse dimenticato soldi e carta di credito a casa. Si chiese se la sera precedente fosse uscito senza portafogli, oppure se dovesse considerarlo perduto insieme al cellulare: portafogli, peraltro, del quale non ricordava forma, materiale e dimensioni, tanto che in taxi passò almeno cinque minuti a cercare di ricostruirne induttivamente la storia. Decise di attendere quarantott'ore prima di preoccuparsi del persistere di quei vuoti di memoria.

Il tassista lo lasciò in via di Moriano.

Svoltò nella piccola e anonima via laterale e vide la Golf di Diego a una cinquantina di metri dal monastero.

La portiera spalancata amplificò all'istante la sua angoscia. Aumentò l'andatura, reprimendo la tentazione di mettersi a correre solo perché era troppo debole. Rimorsi assortiti sbatacchiavano dentro di lui a ogni passo.

Quasi si tuffò nell'abitacolo. Era certo di trovare Diego riverso sui sedili: ferito, o più probabilmente morto, con il coltello ancora nel ventre.

Ma in macchina non c'era nessuno.

Il sedile era zuppo di sangue. Vide altre macchie di liquido scuro sull'asfalto, sotto i suoi piedi. Diego doveva essere rimasto lì alcuni secondi per recuperare le forze, riflettendo su qualche oscura questione.

Perché non si era precipitato in ospedale? Forse non aveva giudicato la ferita così grave da meritare l'intervento di un medico? L'ipotesi gli sembrò traballante nell'attimo stesso in cui la formulava. Chi avrebbe pensato un'assurdità del genere con un coltello piantato nell'addome?

Lasciò la macchina e zoppicò verso il monastero, gli

occhi fissi sul macabro sgocciolio che imbrattava la strada. A metà dello steccato c'era un altro piccolo assembramento di gocce, come se Diego si fosse fermato una seconda volta.

Davide proseguì fino al sentiero che collegava la strada all'ingresso.

E qui si bloccò.

La ghiaia era immacolata.

Non una sola traccia di sangue fino al portone.

Com'era possibile? L'emorragia era visibilmente diminuita, ma gli sembrava improbabile che fosse cessata di colpo.

Alzò gli occhi verso il bosco.

E se Diego avesse proseguito fin lì?

Non aveva senso, ma controllare non gli costava nulla.

Fece un paio di metri e notò una goccia solitaria. S'inginocchiò a studiarla come uno scout indiano.

Era sangue.

Si rialzò e procedette fino al confine fra strada e prato.

Fissò la radura. Il declivio gli forniva una visuale vantaggiosa, ma l'erba era troppo alta per riuscire a notare la presenza di qualcuno.

Ammesso che lì in mezzo ci fosse qualcuno.

Continuava a non capacitarsi delle azioni di Diego. Tornare a casa non era un atto completamente irrazionale: per quanto contorta e residuale fosse, era la logica elementare di un animale ferito. Ma trascinarsi in un bosco oltrepassava ogni sua facoltà d'immedesimazione.

S'incamminò nella radura.

In certi punti l'erba era alta almeno mezzo metro, o persino di più. Minuscole gocce di rugiada brillavano al sole che presto le avrebbe assunte a sé. Davide proseguì con una strana calma, guardandosi intorno. L'odore di terra e di vari tipi di fiori gli riempiva le narici.

Aveva l'impressione che l'erba serbasse la traccia del passaggio di qualcuno, una scriminatura appena accennata, la violazione delle delicate proporzioni di spazio ed equilibrio tra uno stelo e l'altro.

A un tratto s'imbatté in una larga zona di vegetazione che pareva essere stata compressa da qualcosa con la forma approssimativa di un corpo umano. A metà della sagoma c'era una grossa macchia di liquido assorbito dal terreno.

Stavolta non si chinò a esaminarla.

Brulicava di formiche.

Riprese a camminare, cercando di ignorare lo sciabordio della marea di presagi che sentiva montare dentro di sé.

Oltrepassò i primi alberi e si addentrò nel bosco. Il rumore del fiume rimbalzava sulle chiome dei pioppi in uno scroscio delicato. Privata della munificenza del sole, l'erba lì sotto era molto più rada e bassa.

In meno di un minuto giunse alla riva. Si concesse pochi secondi di silenziosa contemplazione di quell'angolo edenico. Da un argine all'altro c'erano almeno sei metri. Pensò che Diego non avrebbe avuto la forza, né alcuna presumibile ragione, di raggiungere la sponda opposta: quindi si mise a osservare con attenzione il terreno, in cerca di tracce. Dopo un po' notò due minuscole macchie di sangue accanto a un piccolo avvallamento dell'erba.

Il suo amico doveva essersi seduto o inginocchiato lì.

E poi?

S'inginocchiò anche lui, come un medico forense sulla scena del crimine. Si piegò su un fianco per avere una prospettiva più accurata della riva a destra, poi ripeté l'operazione per il lato sinistro.

Niente.

Si alzò e proseguì l'ispezione per una ventina di metri in entrambe le direzioni.

Ancora niente. Non c'erano altre tracce.

Quindi si mise a verificare che non ci fosse erba importunata da passi umani in un raggio ancora più ampio, sperando che le sue capacità d'indagine fossero sufficienti a enucleare un indizio così fraintendibile. Passò i dieci minuti successivi a esplorare buona parte della riva, ma non trovò nulla di insolito: l'unico dettaglio straniante fu la curiosa sensazione di essere osservato – una specie di fremito alla nuca che ogni tanto lo spingeva a voltarsi.

Per un attimo considerò l'eventualità di allontanarsi dal fiume e setacciare almeno una parte dell'estremità meridionale del bosco, ma sospettava di essere troppo debole per un'impresa del genere.

Cosa poteva fare?

Il mal di testa era sfumato in una serie di lente pulsazioni regolari, che lo lasciavano pensare con un po' più di lucidità.

L'unica soluzione era tornare al monastero e chiedere aiuto.

Quindi si diresse fino al punto nel quale aveva supposto che Diego si fosse seduto. Da lì guardò il fiume.

Si chiese quanto fosse profondo in quel tratto.

Abbastanza, si rispose.

Si girò e cominciò a camminare più in fretta che poteva, cercando di ignorare le implicazioni più indicibili e dolorose di quella parola.

Fu un giovane monaco ad aprirgli la porta. Aveva i capelli rasati, i piedi nudi, l'abbigliamento paramilitare e la stessa compostezza profusa dall'uomo che l'aveva accolto la prima volta. Il quale – se il livello di ascesi era proporzionale all'inespressività – doveva essere il *roshi*, il maestro. Il giovane ascoltò in silenzio la sua storia, scrutandolo da capo a piedi per trovare conferma alle assurdità appena proferite. Poi, quando intuì che le parole e l'aspetto allucinato dell'uomo configuravano una spaventosa attendibilità, corse dai suoi confratelli.

Che un minuto dopo si precipitarono fuori.

Erano in otto. Due di loro si avvicinarono alla macchina di Diego e ne osservarono l'interno con piccoli cenni costernati del capo. Pochi secondi ancora, e dal monastero sbucò il *roshi*. Salutò Davide congiungendo le mani e avvicinando il naso alla punta delle dita: disse solo che aveva provveduto a chiamare la polizia, poi s'incamminò con piglio deciso verso il bosco. I suoi discepoli lo seguirono allargandosi a ventaglio per buona parte dell'ampiezza del prato.

Davide si disse che avrebbe dovuto aiutarli. Ma non aveva il coraggio di contemplare il cadavere dell'uomo che a-veva salvato la vita di Tommaso a prezzo della sua.

S'incamminò verso via di Moriano. Quello che avrebbe fatto sarebbe stato raggiungere a piedi il primo bar e chiamare un taxi perché venisse a prenderlo il più in fretta possibile.

32

Arrivò in ospedale un'ora dopo.

Entrò dallo stesso ingresso dal quale era uscito poco dopo l'alba di quella mattina. Guardò in basso dalla finestra del primo piano. La folla era aumentata.

Ripensò alle formiche che estraevano nutrienti dal sangue sul terreno.

Salì fino a neurologia. Entrò nello spogliatoio e si diresse all'armadietto. Si tolse la camicia e controllò di nuovo la fasciatura. Sul braccio sinistro erano apparsi graffi che in precedenza non aveva notato.

I segni delle unghie di sua moglie.

Si tolse le scarpe e indossò le Crocs da corsia, prese una t-shirt pulita e il piccolo beauty case dal ripiano superiore. Entrò in bagno e si rasò con cura, cercando di ignorare l'uomo sottoposto a traumi multiformi che lo fissava dalla superficie riflettente. Si lavò le ascelle con qualche difficoltà – non riusciva a sollevare il braccio destro senza avvertire una fitta alla spalla –, s'infilò la maglietta e si pettinò. Poi si concesse una seconda panoramica allo specchio.

Il problema erano gli occhi: aveva dormito con le lenti a contatto procurandosi un'infiammazione.

Se le tolse e le gettò nella tazza.

Tornò all'armadietto e indossò il camice. Uscì dallo spogliatoio. Non vedeva quasi nulla. Dopo meno di venti passi incrociò un'infermiera che gli chiese come stava. Non riconobbe la sua voce e rispose alzando un pollice, senza fermarsi, poi affrettò il passo per non incappare in altri imbarazzi da omessa identificazione. Entrò in ufficio e si mise a rovistare nel cassetto della scrivania. Trovò un vecchio paio di occhiali da vista fotocromatici, li estrasse dall'astuccio e si alzò. Si avvicinò alla finestra e li espose alla luce fino a farli diventare della tonalità sufficiente a celare lo stato pietoso degli occhi.

Li indossò e uscì.

Incontrò un collega che si bloccò in mezzo alla corsia, atteggiando il viso a sollievo e sorpresa. Davide lo avvisò con una scrollata di capo che non poteva fermarsi.

Prese l'ascensore e scese in terapia intensiva. Attraversò il reparto e arrivò alla penultima stanza.

La 52.

Pieri aveva parlato di un ragazzo in coma per un colpo alla testa.

Se era in coma, quasi certamente era la stanza giusta.

Aprì la porta.

Giovanni era sdraiato sul letto, incosciente e intubato, con la testa posata su un cuscino occipitale da scarico. Un piccolo livido gonfio e scuro gli segnava la tempia sinistra.

Sui polsi erano evidenti le ecchimosi di una torsione vigorosa e prolungata. La cannula gli spuntava dalle labbra, collegata al ventilatore meccanico che sospirava con enfasi alla sua sinistra.

Davide si accomodò sullo sgabello a due passi dal letto. Fissò il viso del ragazzo che aveva tentato di ucciderlo.

Che aveva spedito in rianimazione suo figlio.

Che aveva ammazzato il suo amico.

Il viso di un essere umano pazzo, irrimediabilmente pazzo, quindi presumibilmente incapace di arginare il tremendo Potere dentro di sé.

Sarebbe sopravvissuto? Probabile. Il trauma gli avrebbe lasciato danni permanenti? Non ne aveva idea.

In ogni caso non poteva fare molto per lui, che lo volesse o meno. Entro quella mattina le autorità avrebbero incrociato fatti e testimonianze e gli avrebbero impedito di vedere il ragazzo che aveva attentato alla sua vita. Da quel momento in poi, l'unico modo di contribuire alla sua salvezza sarebbe stato immaginarne la morte.

Ma Davide non era sicuro di essere buono fino a quel punto.

Lo odiava?

Riformulò: lo odiava al punto da desiderarne la morte?

E se non si fosse limitato a *desiderarlo*?

No, pensò.

Non sono un assassino.

Non voglio fargli del male.

Non ho mai voluto fare del male a nessuno in vita mia.

Chinò la testa e se la strinse tra le mani.

(Giuro di non compiere mai atti idonei a provocare deliberatamente la morte di un paziente...).

Ma...

... e se fosse uscito dal coma? Se una giuria gli avesse riconosciuto, di nuovo, l'infermità mentale?

Presto sarebbe tornato. Sarebbe tornato per vendicarsi di lui e di suo figlio.

Oppure lo avrebbe dimenticato. Fino al giorno inevitabile in cui il residuato semisepolto della sua ira sarebbe deflagrato sulla testa di qualcun altro. Nessun dubbio sull'intensità dello scoppio: le uniche incertezze erano legate a numero e identità delle vittime.

Ma lui non avrebbe mai patito le conseguenze delle sue azioni.

Gli sovvenne qualcosa che gli aveva raccontato Tommaso: ogni tanto, nell'universo, una nana bianca esplodeva in un lampo di devastante fulgore elettromagnetico, annichilendo ogni altro corpo celeste attorno a sé in un raggio di miliardi di chilometri, ma sopravvivendo alla sua stessa furia.

Giovanni era qualcosa di simile.

Era questa la vita che lo aspettava? Vivere nel timore di vederlo ricomparire? O nel rimorso di non averlo fermato?

Davide si alzò.

No, si disse. Non posso permetterlo.

Sopprimerlo sarebbe stato di una semplicità disarmante. Avrebbe potuto iniettargli un po' di morfina, oppure manipolare il ventilatore meccanico fino ad abbassare la percentuale di saturazione, somministrandogli la lenta eutanasia della carbonarcosi.

L'alternativa era uscire dalla stanza e illudersi che tutto sarebbe andato per il meglio.

(Inammissibili. Entrambe le opzioni erano *semplicemente inammissibili*).

A quale inverosimile dilemma si era consegnato? Guardò il profilo disegnato dalle cime degli alberi oltre la finestra, onde di sismografo verticillate nel cielo. Nessun dubbio che l'epicentro del terremoto fosse in quella stanza.

Guardò la cannula che spuntava dalla bocca di Giovanni, come l'amo di una grottesca lenza. Non aveva idea di quanto tempo sarebbe passato prima dell'ingresso di un medico o di un infermiere.

Fece un paio di passi indietro e si sedette ai piedi del letto.

Non ne aveva idea, e in fondo non gli interessava.

Il tempo non esisteva più.

Lontano, oltre le cime degli alberi, la finestra incorniciava il consueto panorama cittadino di mura medioevali e tetti color terracotta, le torri al centro del quadro.

Davide aveva quasi l'impressione di sentire la voce dei feriti dai piani inferiori, il tumulto dell'emergenza rimbalzare sul contrafforte di suoni del piazzale. Chiuse gli occhi e rilassò le spalle. Non riusciva a pensare a un momento più inopportuno di quello per interrompere le comunicazioni con il mondo.

Invece no, si disse. Va bene così.

La sua mente proiettò una successione incoerente d'immagini sul fondale rosato delle palpebre. La pineta di Camaiore. Il corpo di Tommaso sul selciato di piazza Napoleone. Epaminonda che uccideva una serpe nel giardino di casa. Il viso impassibile di Neil Tennant. I piedi nudi di Barbara. Una piramide azteca in mezzo agli alberi. La triste adunanza di gocce sull'asfalto della via senza nome, che si sfioravano senza sovrapporsi.

Inalò a fondo e ripudiò ogni pensiero, lasciandosi cullare dal sospiro del mondo. Non c'era altro da fare.

La vita è una questione di giuste proporzioni.

A un certo punto deve succedere. O sei illuminato, o non lo sei. O sei innamorato, o non lo sei. O sei pronto, o non lo sei.

Si allungò sul ragazzo e gli posò una mano sul petto. Tagliare o morire: non aveva alternative. Sentì di nuovo il brivido che gli aveva accarezzato la nuca sulla riva del fiume.

Qualcuno mi sta guardando, si disse. Qualcuno testimonierà che sto per rinnegare quello in cui ho sempre creduto.

Ora so che l'universo è infinito perché contiene tutto l'odio generato dalla razza umana dall'inizio dei tempi. Questo è ciò che siamo. Questa è la sostanza di cui siamo fatti: sangue, furore e detriti di sogni al confine tra sonno e veglia.

Dominare la violenza o esserne dominati. Toglietemi di dosso l'epitelio della civiltà fino a esporre il sembiante scorticato del mio vero io. Non sono più solo un medico seduto al capezzale di un ragazzo. Sono il figlio prediletto della foresta e del fiume. Sono il nucleo ribollente di Potere acquattato nelle tenebre in attesa di emergerne. Sono l'uomo con gli occhi chiusi, e medito sul tremendo *koan* oltre il quale saprò se sono capace di uccidere per salvare me stesso.

FABULA

ULTIMI VOLUMI PUBBLICATI:

STAMPATO DA L.E.G.O. S.P.A. STABILIMENTO DI LAVIS
NEL SETTEMBRE 2021